ROSE MÉLIE ROSE

DU MÊME AUTEUR

Splendid Hôtel, *roman, 1986*
Forever Valley, *roman, 1987*
Rose Mélie Rose, *roman, 1987*
Tir et Lir, *théâtre, 1988*
Mobie-Diq, *théâtre, 1988*
Seaside, *théâtre, 1992*

chez P.O.L

Le mort & Cie, *poésie, 1985*
Doublures, *contes, 1986*
Candy Story, *1992*
Nevermore, *1994*
Le cirque Pandor *suivi de* Fort Gambo
théâtre, 1994

aux éditions Gallimard

Silsie, *conte, 1990*

aux éditions Flohic

Villa Rosa, Matisse, *1996*

aux éditions Grasset

Jean Genet, le poète travesti, *essai, 2000*
L'accord de paix, *roman, 2000*

MARIE REDONNET

ROSE MÉLIE ROSE

LES ÉDITIONS DE MINUIT

7, rue Bernard-Palissy, 75006 Paris

ISBN 2-7073-1133-2

1

Les rochers noirs qui bordent la rivière sont en quartz, comme le sable. Rose dit que la lumière est plus forte ici qu'ailleurs à cause des propriétés du quartz. Ça a dû finir par lui brûler les yeux. Elle cligne les yeux tout le temps. Elle y voit de plus en plus mal. On dirait qu'elle n'a plus la force de voir. Au bout de la rivière, il y a les cascades. Après les cascades, la rivière disparaît. Le bruit des cascades est si fort qu'on n'entend plus les autres bruits. J'ai toujours vécu près des cascades. C'est tout blanc là où il y a les cascades à cause de l'écume. Parfois, on voit apparaître l'arc-en-ciel au milieu des cascades. Maintenant, Rose dit qu'elle ne voit plus jamais l'arc-en-ciel.

J'aime descendre et remonter la rivière. Je connais tous les rochers. Les rochers glissent, il faut faire attention en sautant. C'est un jeu pour moi de sauter d'un rocher à l'autre depuis le temps que je le fais. Plus on descend la rivière, plus c'est encaissé. Je ne descends jamais plus loin que là où c'est encaissé. Il faut que j'aie le temps de remonter jusqu'aux cascades. Rose s'inquiéterait si je n'étais pas remontée quand le soleil se couche.

Au-delà des cascades, c'est la montagne. Rose n'a jamais été plus loin que les cascades.

Autrefois, la région était pleine de petites scieries que la rivière alimentait. Il y avait beaucoup de bûcherons dans la forêt qui entoure les cascades. On rencontre encore les cabanes abandonnées par les bûcherons. Je n'aime pas la forêt, sauf les cabanes. Il fait toujours sombre et froid dans la forêt, même en été. La piste part des cascades. Rose dit que la piste traverse toute la forêt et qu'elle descend jusqu'à Oat. Oat, c'est le port où on embarque le bois. La piste a été construite il y a longtemps pour les camions qui transportent le bois. Mais le bois de la forêt ne se vend plus. Alors les scieries ferment, les bûcherons s'en vont, et la piste n'est plus entretenue parce que les camions ne remontent plus jusqu'aux cascades.

Rose dit que la rivière disparaît sous la montagne où elle prend sa source. La rivière jaillit devant la grotte, un peu avant les cascades. Le site est connu. Il a toujours attiré les voyageurs. Quand j'étais petite, j'appelais la grotte la Grotte aux Fées, d'après le titre d'une légende de mon livre. La légende raconte que les mariés qui vont passer leur nuit de noces dans la Grotte aux Fées ont un enfant neuf mois plus tard. La légende raconte aussi que lorsqu'un voyageur sent sa dernière heure arriver il vient se réfugier dans la Grotte aux Fées. Quand il est mort, les fées font disparaître son corps. Il y a de moins en moins de voyageurs qui montent jusqu'aux cascades. Le livre de légendes est le seul livre que possédait Rose.

C'est dans ce livre qu'elle m'a appris à lire. Maintenant, c'est mon livre. Rose m'en a fait cadeau pour me récompenser d'avoir si bien appris à lire. C'est écrit en alphabet ancien. Rose ne connaît que l'alphabet ancien. Moi aussi, c'est le seul alphabet que je connaisse.

Rose m'a découverte un matin dans la grotte. Je venais juste de naître. Rose habite la seule maison près des cascades. C'est une maison en bois encore en bon état. Rose dit que le bois de la forêt ne se vend plus parce qu'on ne construit plus de maison en bois. Elle a appelé sa maison l'Ermitage. L'Ermitage, c'est aussi le nom du site. Rose a fait de sa maison un magasin de souvenirs. C'est une bonne idée qu'elle a eue. Les voyageurs qui montent jusqu'aux cascades et qui vont voir la grotte achètent un souvenir de l'Ermitage. Rose s'est installée près des cascades peu de temps avant de m'avoir trouvée dans la grotte. Elle était vieille déjà. J'ai toujours connu Rose vieille. Pour rien au monde elle n'aurait abandonné son magasin de souvenirs.

Maintenant, Rose est encore plus vieille. Elle dit qu'elle ne sait pas quel âge elle a. Elle ne peut être que très vieille. Elle est tellement vieille que moi non plus je ne sais pas quel âge elle peut avoir. Elle est voûtée et toute ridée. Elle n'y voit presque plus. Elle marche difficilement appuyée sur son bâton. Ses gestes sont de plus en plus maladroits. Elle ne veut pas le reconnaître, et elle se déplace dans le magasin comme si elle y voyait clair. Les souvenirs sont précieux et fragiles. Quand je vois Rose avec son bâton dans le magasin, j'ai peur qu'il n'arrive malheur aux souvenirs. C'est moi qui tiens le magasin. Rose ne fait plus qu'attendre la venue des voyageurs. Les voyageurs se font de plus en plus attendre. Le site doit tomber dans l'oubli. Rose dit que lorsque le dernier souvenir sera vendu elle fermera le magasin. Elle dit qu'il est bientôt temps pour moi de quitter les cascades.

Quand Rose m'a trouvée dans la grotte, j'étais sans rien. Elle a toujours dit qu'elle n'avait vu monter personne à la grotte depuis plusieurs jours. Elle m'a appelée Mélie, parce qu'elle trouve que Mélie c'est le plus beau nom, avec Rose. Elle ne m'a pas déclarée à la mairie, parce que la mairie est à Oat, et Oat est à plusieurs jours de piste des cascades. Rose n'est jamais retournée à Oat depuis qu'elle s'est installée à l'Ermitage. Elle a toujours dit que ce qui compte, ce n'est pas que je sois déclarée à la mairie de Oat, c'est que je m'appelle Mélie.

Ce qui devait arriver est arrivé. Rose a cassé les derniers souvenirs. Elle a heurté la table avec son bâton. La table ne tenait presque plus debout, elle s'est renversée. Tous les souvenirs étaient rangés sur la table, et ils étaient tous cassables. Rose m'a demandé de ramasser les souvenirs, et d'aller jeter les morceaux à la rivière. Quand les souvenirs arriveront en bas des cascades, ce n'est plus en morceaux qu'ils seront, mais en miettes. Rose a l'air soulagée qu'il n'y ait plus de souvenirs à vendre.

Quand je suis revenue après avoir été jeter les souvenirs cassés à la rivière, Rose m'a dit que maintenant je devais quitter l'Ermitage. Je ne l'ai pas crue. Alors elle m'a dit que sa dernière heure est arrivée. Elle le sait depuis que son bâton a heurté la table chargée des derniers souvenirs. Elle veut passer sa dernière nuit seule dans la grotte. Elle a toujours vécu avec son livre de légendes. Elle veut finir sa vie comme dans la légende. Quand elle m'a dit adieu, elle était déjà loin. Elle a dit que maintenant je peux vivre sans elle loin de l'Ermitage. L'Ermitage, c'est seulement un passage. Elle y a vécu douze ans comme moi, elle ses derniers douze ans et moi mes premiers douze ans. Je l'ai regardée monter sur le sentier qui mène à la grotte. Ses cheveux étaient défaits. Je me suis aperçue qu'elle les a longs et très blancs. Elle les cachait toujours sous son bonnet. Je l'ai regardée monter comme si c'était une autre.

Le lendemain matin, je suis montée jusqu'à la grotte. Rose était morte. Je lui ai fermé les yeux. Je suis restée longtemps à côté d'elle à la regarder. A midi, quand le soleil est entré, la lumière a éclairé Rose. Elle avait l'air de dormir. C'est comme si elle n'était pas morte. Je l'ai enterrée dans la grotte, là où elle m'a trouvée il y a douze ans. C'est un abri sûr. Sur la paroi, j'ai gravé son nom, et le mien aussi. Et puis je les ai reliés. C'est écrit Rose et Mélie sur la paroi de la grotte.

Rose est morte le jour de mon anniversaire. J'ai douze ans, en comptant depuis le jour où Rose m'a trouvée dans la grotte. A mon réveil, j'ai tout de suite vu le sang sur mes draps. C'est mes premières règles. Elles sont arrivées le jour de mon douzième anniversaire qui est aussi le jour de la mort de Rose. Rose me le disait que je les aurais bientôt. Elle le voyait à mon corps qui s'est beaucoup développé en un an. Elle m'avait expliqué ce qu'il faut faire quand on a ses premières règles, comme si elle prévoyait déjà qu'elle ne serait plus là. Elle m'avait dit que le jour où j'aurais mes premières règles je devrais quitter l'Ermitage. Elle savait lire les signes. Elle en voyait partout malgré sa mauvaise vue. Moi, je n'ai jamais vu les signes. Rose disait qu'à mon âge c'est normal de ne pas les voir. Maintenant que Rose est morte et que j'ai mes premières règles, je dois partir. Il faut obéir à Rose, même si elle n'est plus là. C'est sûrement un signe que j'ai mes premières règles le jour de mon douzième anniversaire qui est le jour de la mort de Rose.

Rose a écrit une adresse sur la dernière page de mon livre de légendes. C'est à cette adresse que je dois aller. Rose ne m'a pas laissée sans rien, elle m'a laissé une adresse. Sur la dernière page du livre de légendes, elle a écrit : 7 rue des Charmes à Oat. C'est bien l'écriture de Rose. Oat, c'est au bout de la piste. Je n'ai qu'à suivre la piste pour arriver à Oat.

Avant de partir, j'ai décloué l'enseigne. Rose ne m'a pas dit ce que je dois faire de l'enseigne. Je ne veux pas la laisser accrochée au-dessus de la porte d'entrée alors que je vais à Oat et que Rose est morte. C'est une toute petite enseigne. Dessus, en lettres de l'ancien alphabet, c'est gravé : Magasin de Souvenirs. L'enseigne a beau être toute petite, elle a quand même attiré les voyageurs vers le magasin de souvenirs. De quoi est-ce que Rose aurait vécu sans son magasin ? Les souvenirs se sont bien vendus. Je n'ai jamais manqué de rien à l'Ermitage. Rose voulait que j'aie de tout.

Je vais laisser la porte de l'Ermitage ouverte. Je ne peux pas la fermer puisque Rose a perdu la clé il y a quelques jours. J'espère que les voyageurs vont continuer à monter jusqu'aux cascades, même maintenant que le magasin de souvenirs est fermé et que Rose est morte. Je vais tout laisser en place, comme Rose l'a laissé. Rose ne m'a jamais parlé de sa vie avant l'Ermitage. Pourtant elle a eu une longue vie avant de venir aux cascades. Elle n'a vécu que douze ans à l'Ermitage, avec moi. Avant, elle a vécu à Oat. Oat, c'est le seul endroit qu'elle a connu, avec l'Ermitage.

2

Dans mon sac, j'ai mis mes affaires personnelles, des provisions pour le voyage, l'enseigne de l'Ermitage – c'est vraiment une enseigne miniature pour qu'elle entre dans mon sac – et mon livre de légendes. C'est tout ce que j'ai pu mettre dans mon sac. L'enseigne, c'est mon seul souvenir de l'Ermitage. Ce n'est pas un souvenir comme les autres puisqu'elle n'a jamais été à vendre. Je n'ai pas voulu revoir la grotte une dernière fois, ni même les cascades. Je leur ai tourné le dos sans me retourner.

C'est la première fois que je descends par la piste, jusqu'à maintenant je suis toujours descendue par la rivière. Ce n'est plus vraiment une piste depuis que les camions ne l'empruntent plus. Je ne vois que des arbres devant moi et autour de moi. Je m'enfonce de plus en plus dans la forêt là où je ne suis jamais allée. Je marche le plus vite que je peux malgré mon mal de ventre. Rose me l'avait dit que j'aurais mal au ventre pendant mes premières règles. Mais je ne croyais pas avoir aussi mal. Ma culotte est tachée et toute mouillée. Pourtant j'ai tout fait comme m'a expliqué Rose. Je vais sûrement aussi tacher ma robe. En marchant, c'est désagréable de sentir sa culotte mouillée, surtout mouillée par le sang. Les règles, c'est douloureux et inconfortable, encore plus quand on a une longue marche devant soi.

Je me suis arrêtée juste avant la nuit dans une cabane de bûcheron. C'est une chance d'en avoir trouvé une si près de la piste. La cabane me protège de la forêt. J'ai mis les doigts dans mes oreilles pour ne plus entendre les bruits de la forêt. Ils me font peur maintenant que je n'entends plus le bruit des cascades. Je me suis mis une culotte propre. Ça m'a fait du bien de ne plus me sentir mouillée. C'est mon premier voyage. Heureusement que le sommeil est venu vite, j'aurais fini par avoir peur toute seule dans la cabane au milieu de la forêt. C'est un rêve qui m'a réveillée. Dans mon rêve, j'ai vu Rose en robe de mariée. Elle était très jeune, je ne la reconnaissais pas. Je tenais son voile de mariée et je pleurais comme je n'ai jamais pleuré. Ça me fait drôle de ne pas avoir reconnu Rose. Je n'ai pas de chagrin qu'elle soit morte. Je n'ai pleuré que dans mon rêve, mais ce n'est pas à cause de la mort de Rose que j'ai pleuré.

J'ai repris la piste et j'ai marché toute une journée encore sans rencontrer personne. Les bûcherons sont tous partis et les scieries sont fermées. Il n'y a aucune circulation sur la piste. Je marche toujours vite malgré mes douleurs dans le ventre et maintenant aussi dans les jambes. Je n'ai pas l'habitude de marcher aussi vite ni aussi longtemps. Ma culotte est de nouveau mouillée.

Dès que j'ai repris la piste, le sang a recommencé à couler. La piste n'arrête pas de descendre. La forêt n'est pas pénétrable. J'entends la rivière au loin, mais je ne la vois pas. J'ai dormi dans une cabane de bûcheron comme la première nuit et j'ai encore rêvé de Rose. Cette fois, je n'étais pas là pour lui tenir son voile. Elle n'avait que sa robe de mariée, elle était toujours aussi jeune, mais elle était morte. C'est la forêt qui me donne ces mauvais rêves. A l'Ermitage, je ne rêvais jamais de Rose. Rose est morte très vieille et pas toute jeune comme dans mon rêve. Je ne sais même pas si elle s'est mariée un jour. Elle n'avait pas d'alliance à son doigt. Si elle avait été mariée, elle aurait eu une alliance. On aurait dit que Rose n'avait pas de passé avant l'Ermitage.

Le troisième jour, je n'en pouvais plus de marcher. Oat, c'est plus loin que je croyais. J'ai mangé toutes mes provisions et je suis à bout de forces. Je me suis dit que je n'arriverais jamais au bout de la piste. C'est alors que j'ai aperçu une petite scierie avec un camion jaune juste devant. Alors, je suis sauvée, je ne mourrai pas de faim et d'épuisement sur la piste qui mène à Oat. Le chauffeur était en train de charger son camion. Je lui ai demandé s'il pouvait m'emmener à Oat. Il m'a regardée comme si j'étais une apparition. C'est sûrement la première fois qu'il voit arriver une jeune fille par la piste des cascades. Il s'est mis à rire. Il a dit qu'il ne demandait pas mieux que de m'emmener à Oat. Son camion jaune est tout neuf avec des chromes partout qui brillent tellement ils sont bien astiqués.

Enfin, le chauffeur m'a dit de monter dans la cabine. C'est l'heure de partir. Je me suis enfoncée dans le fauteuil tellement il est confortable. Le chauffeur n'est pas curieux. Il ne m'a pas demandé ce que je faisais sur la piste ni d'où je venais. Il est encore sous l'effet de la surprise de m'avoir vue arriver par la piste. Et maintenant me voilà assise à côté de lui dans la cabine de son camion. Il ne doit sûrement pas faire beaucoup de rencontres sur la piste de la forêt, déserte comme elle est maintenant. Il a mis la radio. C'est la première fois que j'écoute la radio. C'est très fort, bien plus fort encore que les cascades. Le chauffeur m'a dit que c'est en stéréo. Il m'a montré les deux enceintes d'où vient le son. C'est pour ça qu'on est si bien enveloppé par le son, parce qu'il sort de deux enceintes en même temps. Je suis tout étourdie, la musique à la radio, la chaleur dans le camion. Le chauffeur a mis le chauffage rien que pour le plaisir d'appuyer sur les boutons et me montrer que tout fonctionne. Il m'a même offert une cigarette pour faire marcher l'allume-cigarettes. C'est plein de boutons sur le tableau de bord du camion. Le chauffeur dit que c'est le modèle de camion le plus perfectionné qu'il s'est acheté avec ses économies. Je lui ai dit que je n'avais jamais fumé de cigarettes. Il a ri de nouveau. Après ma première cigarette, j'ai eu mal au cœur. J'ai honte de sentir ma culotte toute mouillée. Elle va sûrement tacher la housse toute neuve du camion. Le chauffeur a ouvert la vitre pour faire partir la fumée de la cigarette. L'air est entré d'un seul coup dans la cabine. J'ai suffoqué. J'ai la tête qui tourne d'être dans le camion pour la première fois. Il y a des virages sur la piste. Le chauffeur les prend brutalement. Et il y a des secousses dans le camion à cause des ornières. Le chauffeur a beau me vanter la suspension de son camion, je ressens quand même les secousses dans mon ventre. Le chauffeur ne sait pas comme moi ce que c'est que d'avoir ses règles pour la première fois. Il a mis la radio encore plus fort. Il bat la musique avec ses mains sur son volant. Il m'a demandé quel âge j'avais. Je lui ai dit que je viens d'avoir douze ans et mes premières règles. Il a ri de la coïncidence. Il me dévisage avec beaucoup d'insistance tout en conduisant et en battant la musique avec ses mains. J'ai comme un malaise. Je vois tout un peu flou. Le chauffeur a l'air plutôt sympathique. La nuit a commencé à tomber. Le chauffeur a allumé les lumières, d'abord les codes et puis les phares. Le temps passe vite dans la cabine du camion. Les phares éclairent toute la piste tellement ils sont puissants. Je ne reconnais plus la forêt éclairée par les phares du camion. On a roulé longtemps dans la nuit à travers la forêt.

Tout à coup, le camion est sorti de la forêt. Au loin, j'ai aperçu des lumières, et de chaque côté de la piste j'ai vu de l'eau. J'ai cru que c'était la mer. Le chauffeur m'a dit que c'est seulement la lagune. Avant la mer, il y a la lagune, et entre les deux il y a Oat. Les lumières au loin, c'est les lumières de Oat. Le chauffeur a arrêté son camion sur le bas-côté de la piste. La lagune paraît immense dans la nuit. Le chauffeur a éteint les phares, et il a allumé la veilleuse dans la cabine. Il a baissé la radio. Il s'est mis à me caresser par-dessus ma robe. Il a des gestes lents. C'est ce que j'ai remarqué tout de suite, et puis le plaisir que ça m'a fait d'être caressée par-dessus ma robe par le chauffeur du camion. Il m'a dit à l'oreille que ça aussi il fallait que ça m'arrive. En même temps que mes premières règles, c'est le meilleur moment. Alors il a fait basculer le fauteuil. Il ne m'avait pas dit que le fauteuil fait couchette. Rien qu'en appuyant sur un bouton caché sous le fauteuil, le fauteuil bascule pour devenir couchette. C'est vraiment un camion ultra-moderne. Ça me fait du bien d'être allongée. La douleur au ventre s'est calmée. Le chauffeur s'est mis tout contre moi. Il a mis sa main sous ma culotte. Ça ne le gêne pas que j'aie mes règles. Il a enlevé ma culotte, et puis ma robe aussi. Et il a continué de me caresser. Ce n'est plus pareil maintenant qu'il a enlevé ma robe. Il y a du sang sur les mains du chauffeur et puis sur moi après qu'il m'a caressée. Le chauffeur m'a dit que pour douze ans je suis bien formée. C'est déjà ce que m'avait dit Rose. Mais Rose ne m'a jamais parlé des chauffeurs de camion de la piste, sûrement parce qu'ils ne remontent pas jusqu'aux cascades. Il y a une tache de sang sur la couchette là où j'étais assise tout à l'heure.

Le chauffeur du camion a continué de me caresser. Je me suis laissé faire. J'ai fait tout comme le chauffeur voulait. J'ai envie de me laisser faire. Le chauffeur m'a prise doucement sans me faire de mal. Sur la couchette, le sang s'est mélangé au sang. Le chauffeur m'a dit que je ne suis pas farouche et que c'est bien d'être avec moi sur la couchette de son camion. Je lui ai dit que moi aussi je trouve que c'est bien d'être avec lui sur la couchette de son camion. Dans la cabine il fait chaud, à la radio il y a la musique. Je n'ai plus mal au ventre. Mon malaise a disparu.

Le chauffeur du camion a remis le moteur en marche et il a repris la piste. J'ai appuyé sur le bouton. La couchette est redevenue fauteuil, et je me suis rhabillée. J'ai jeté par la fenêtre ma culotte toute mouillée. J'ai regardé la lagune. Ma culotte est tombée dans la lagune. C'est la fin de la nuit. Tout à coup la piste est devenue asphaltée. Au compteur, l'aiguille est montée à cent. Le chauffeur a dit qu'il aime la vitesse. Son camion est fait pour la vitesse et pas pour se traîner sur la piste de la forêt. Il a dit aussi que sa scierie, ce n'est plus comme avant, elle ne rapporte plus. La mévente du bois le préoccupe. Mais juste après, il a dit qu'avec son camion il s'en sortirait toujours. J'ai dû somnoler un peu.

Je ne suis plus vierge. Rose ne m'a jamais dit que je devais rester vierge. Après la lagune, c'est Oat. Le chauffeur m'a expliqué la particularité de Oat. Il y a eu deux ports successifs. Le premier port a été construit au bord de la lagune. C'était un port intérieur. Au bord de la lagune, il y avait les quais du port avec les bateaux qui chargeaient le bois. Pour rejoindre la mer, les bateaux empruntaient le chenal. Le chenal reliait la mer à la lagune. Mais le chenal s'est peu à peu ensablé jusqu'à ne plus être navigable. C'est alors qu'on a construit le port maritime, pour les bateaux qui ne pouvaient plus accéder à la lagune. Maintenant le port intérieur n'existe plus. La lagune gagne. Elle a recouvert les anciens quais du port. Maintenant Oat est fait de deux morceaux, le port maritime et la ville construite derrière la lagune du temps de l'ancien port. La ville périclite depuis la construction du port maritime. Avec la crise du bois, il y a de moins en moins de bateaux au port. Le port maritime aussi périclite. Le chauffeur se demande à quoi ça a servi de le construire. Il y a de moins en moins d'habitants à Oat. J'ai dit au chauffeur que je vais au 7 rue des Charmes. Le chauffeur ne connaît que le port. Il dit que la circulation est impossible dans la ville parce que les rues sont trop étroites. Il ne connaît pas la rue des Charmes. Il a engagé son camion sur le boulevard. C'est le grand boulevard du port. Il m'a laissée au bord du boulevard. Il m'a indiqué la direction de la ville au bout là-bas de l'autre côté du terrain vague. Il m'a donné son adresse. Il m'a dit de ne pas oublier d'aller me présenter à la mairie du port, tous les arrivants à Oat doivent s'y présenter. La mairie est en haut du boulevard dans le bâtiment du bureau des Douanes. Le chauffeur m'a dit de demander mademoiselle Marthe, la responsable du bureau d'accueil.

La mer est juste devant moi. Elle est agitée et toute bleue. Elle ne ressemble pas à la lagune. Le chauffeur du camion a écrit son adresse dans un alphabet que je ne connais pas. C'est sûrement le nouvel alphabet. Je ne sais pas lire l'adresse du chauffeur. Il va falloir que j'apprenne le nouvel alphabet maintenant que je vais vivre à Oat. Dans mon livre de légendes, il est toujours question de la mer. Je vois des oiseaux blancs beaucoup plus grands que les oiseaux de la forêt qui tournent dans le ciel autour du grand bateau amarré au bout du quai. Ça doit être des mouettes. Le chauffeur a arrêté son camion au bout du quai devant le grand bateau. Dans mon livre de légendes, les mouettes remontent parfois la rivière jusqu'à sa source. A l'Ermitage, je n'ai jamais vu de mouettes, peut-être parce que les cascades font trop de bruit. La mer a beau être agitée, elle est bien plus silencieuse que les cascades. Le ciel paraît plus grand et plus bleu au bord de la mer. Mes règles se sont arrêtées. J'ai bien fait de jeter ma culotte toute mouillée par la fenêtre du camion. Ici, je ne suis plus à l'Ermitage, mais à Oat. Et maintenant que j'ai eu mes premières règles et que je ne suis plus vierge, je suis une jeune fille.

3

Le terrain vague commence juste de l'autre côté du boulevard. Il doit beaucoup pleuvoir à Oat. L'extrémité du terrain vague est inondée. L'eau stagne dans le terrain vague. J'ai demandé la direction de la rue des Charmes. C'est après la rue du Pas. Je suis dans la rue du Pas. C'est une rue étroite avec des maisons serrées les unes contre les autres. Le bois des façades s'abîme, beaucoup de maisons ont l'air fermées. La seule bonne surprise, c'est le nom des rues qui est écrit en alphabet ancien. C'est très silencieux dans la rue du Pas, ça fait déshérité. La rue des Charmes est juste après la rue du Pas. C'est une rue plus large avec des maisons plus grandes. Le bois des façades est verni, mais le vernis aurait besoin d'être repeint. Il y a des balcons aux fenêtres. Les volets sont fermés, sauf au numéro 7. Le numéro 7 est donc habité. En levant la tête, j'ai tout de suite vu l'enseigne. C'est la seule enseigne de la rue des Charmes, et je n'ai pas vu d'enseigne dans la rue du Pas. Sur l'enseigne, en lettres de l'ancien alphabet, c'est gravé : Magasin de Souvenirs. J'ai cogné au marteau de la porte plusieurs fois avant qu'un très vieil homme ne vienne m'ouvrir. Il est emmitouflé dans une robe de chambre qui n'a même plus de couleur tellement elle doit être vieille. Je lui ai dit que je viens de l'Ermitage de la part de Rose. Il est sourd, il entend très mal ce que je lui dis. Alors j'ai eu l'idée de sortir de mon sac l'enseigne de l'Ermitage. Il a pris l'enseigne, il l'a regardée attentivement, et il m'a fait entrer dans sa maison.

La maison est très sombre. Le fond du couloir donne sur une petite cour avec un arbre en fleurs au milieu. Le vieil homme a ouvert une porte et il m'a dit que c'est ma chambre. C'est une toute petite chambre, presque une chambre d'enfant, avec un lit étroit, un pupitre et une étagère. La fenêtre donne sur la cour. Le vieil homme m'a dit son nom, il s'appelle Nem. Il m'a appelée Rose. Je lui ai dit que je m'appelle Mélie, pas Rose. Il dit qu'ici je suis chez Rose, pas chez Nem. Rose a habité cette maison autrefois avant que Nem l'habite. Nem ne l'habite que depuis douze ans, quand la bibliothèque a fermé. Nem était le bibliothécaire de Oat. Il dit qu'il a beaucoup entendu parler de Rose, mais il ne l'a pas connue. Rose ne fréquentait pas la bibliothèque et Nem ne sortait pas de la bibliothèque. Quand la bibliothèque a fermé, Nem a appris que la maison de Rose était inhabitée. Alors il a eu envie de l'habiter. Il a voulu me faire visiter toute la maison. Les pièces du rez-de-chaussée sont vides. L'enseigne est trompeuse, il n'y a pas de magasin de souvenirs au 7 rue des Charmes. C'est plein de poussière et de toiles d'araignée. Le bois moisit. A l'étage aussi, les pièces sont vides et le bois moisit. Il y a beaucoup de pièces dans la maison de Rose. Nem dit que le quartier des Charmes était très réputé du temps du port intérieur. La chambre de Nem est au-dessus de ma chambre avec un petit balcon qui donne sur la cour. On ne voit que le sommet de l'arbre comme un bouquet de fleurs roses. L'étagère est pleine de gros livres. Je n'ai jamais vu d'aussi gros livres. Mon livre de légendes fait tout petit à côté. Devant le balcon, il y a le pupitre avec des cahiers aussi gros que les livres.

Nem a vu que je regardais les gros livres. Il m'en a donné un pour que je le feuillette. C'est écrit en alphabet ancien, mais ça ne ressemble pas à l'alphabet ancien que m'a appris Rose. Nem dit que c'est un alphabet plus ancien qui n'est pas originaire de Oat. Il ne sait pas d'où il vient. Il a trouvé les gros livres dans une caisse au fond du débarras de la bibliothèque. La caisse n'avait jamais été ouverte. Nem a gardé sa découverte pour lui. Quand la bibliothèque a fermé et qu'il a déménagé au 7 rue des Charmes, il a emporté sa caisse avec lui. Depuis, il a consacré tout son temps à étudier les livres. Il a commencé par déchiffrer l'alphabet qu'il ne connaissait pas. Puis il a traduit tous les livres de la caisse. Il les a traduits en alphabet ancien de Oat. Les gros cahiers empilés sur le pupitre, c'est les traductions des livres. Nem devrait être content d'avoir fini ses traductions, mais il ne l'est pas. Il dit qu'il comprend tout à coup qu'il a mal déchiffré l'alphabet. Il dit qu'il s'y perd en essayant de comprendre comment il l'a mal déchiffré. Il dit que son erreur, c'est d'avoir pris comme modèle l'alphabet ancien de Oat. Ce n'est pas le bon modèle. Il s'est trompé de voie. Il dit qu'il va moins vite que le temps alors qu'il lui faudrait aller plus vite que le temps pour déchiffrer cet alphabet. Comprendre le temps et déchiffrer l'alphabet, Nem dit que c'est la même chose. Je ne comprends rien à ce que me dit Nem. Il dit qu'il est en train de perdre ses facultés et sa mémoire. Il dit qu'il a perdu son temps à être le bibliothécaire de Oat. Maintenant il n'est pas compétent et il est trop vieux. Il est trop tard. Il finit sa vie là où il aurait dû la commencer. Il voudrait avoir mon âge, douze ans. Il dit que douze ans, c'est le bon âge pour pouvoir commencer.

En repassant dans le couloir, je me suis aperçue qu'il y a une photographie accrochée au mur. C'est la photographie d'une jeune fille. Elle est jaunie et un peu floue. Il n'y a rien écrit sur la photo. Nem dit que c'est la photographie de Rose. Mais il n'a jamais vu Rose. Rose vieille ne ressemblait pas du tout à cette photo. Nem a mis un appareil dans ses oreilles pour mieux m'entendre. L'appareil est très usé et il grésille dans les oreilles de Nem. Ce n'est pas facile d'avoir une conversation avec Nem, même quand il a son appareil, à cause des grésillements qui l'empêchent d'entendre. Je lui ai dit que Rose est morte. Il m'a dit qu'il le savait. Il ne peut pas le savoir. C'est autre chose qu'il sait. Quand il dit Rose, c'est comme s'il avait tout dit. Il répète que le temps presse. Il dit que la maison de Rose n'est pas ce qu'il croyait.

Nem m'a laissée, et j'ai enfin pu m'installer dans ma chambre. J'ai sorti mes affaires de mon sac. Nem a gardé l'enseigne de l'Ermitage. Il me manque quelque chose dans ma chambre sans mon enseigne. Je me suis endormie sans m'en rendre compte tellement j'étais épuisée par le voyage. Un si brusque et si complet changement de vie, c'était imprévisible pour moi. Quand je me suis réveillée, Nem était assis sur une chaise basse dans la cour juste devant ma fenêtre. Le soleil est en train de se coucher. J'ai dormi longtemps. Nem se repose tous les soirs dans sa cour avant que la nuit tombe. Il a cogné à ma fenêtre dès qu'il a vu que j'étais réveillée. J'ai ouvert la fenêtre. L'odeur de la lagune est entrée dans ma chambre. Je n'aime pas cette odeur. Nem m'a parlé de Mélie, son ancienne servante. Elle est morte quand la bibliothèque a fermé. Nem la regrette beaucoup, il dit qu'elle est irremplaçable. C'est parce que sa servante est morte que la maison de Rose est si mal entretenue et qu'il y a de la poussière partout. Nem m'a aussi parlé de sa plus proche voisine qui s'appelle Mélie comme son ancienne servante. Mélie habite le passage des Charmes juste derrière la rue des Charmes. C'est elle qui s'occupe de Nem et de sa maison. Toutes les maisons de la rue des Charmes sont inhabitées maintenant à part celle de Nem. Nem dit que Mélie ne ressemble pas à sa servante même si elle porte le même nom. Elle ne sait pas entretenir la maison de Rose. Nem m'a dit que Mélie attend ma visite avec impatience. J'ai demandé à Nem un plan de Oat. Il m'a dit qu'il n'y a pas besoin de plan pour connaître Oat. Oat a été construit sans plan derrière la lagune et maintenant le long du boulevard du port. Il dit que le quartier des Charmes est le plus beau quartier. Il m'a beaucoup parlé de la place des Gardes. Elle est juste au bout du quartier des Charmes, mais elle n'en fait pas partie. Autrefois tous les bâtiments municipaux de Oat étaient regroupés sur la place des Gardes. Ils ont fermé les uns après les autres. La bibliothèque a fermé en dernier. Nem a habité longtemps la place des Gardes. Avant d'être le bibliothécaire de Oat, il habitait la rue des Bornes le long de la lagune. Il dit que ça fait longtemps que la rue des Bornes n'est plus habitable. Il dit que le quartier de la lagune est de moins en moins habitable à cause des inondations. Le quartier des Charmes et la place des Gardes ne sont pas inondables. Nem dit qu'il ne sait pas s'il a bien fait de venir habiter la maison de Rose. C'est la maison de personne depuis que Rose est partie. Il dit qu'elle a bien fait de partir. Maintenant qu'il n'est plus le bibliothécaire de Oat, Nem dit qu'il est personne.

Ça ne change rien à la vie de Nem que je me sois installée dans sa maison. Il m'a bien accueillie, mais il ne veut rien savoir de moi. Il ne m'a même pas demandé ce que je vais faire à Oat. Il se couche avec la nuit. L'installation électrique est cassée. Les boutons n'allument rien. Il faut que je m'éclaire à la bougie comme à l'Ermitage. Rose ne m'a jamais parlé de cette maison.

Pourtant elle a écrit l'adresse sur la dernière page du livre de légendes. Elle ne m'a jamais parlé de Oat non plus. Je ne suis pas mal dans cette chambre. Les bougies éclairent toute la chambre, et pas seulement le chevet de mon lit comme à l'Ermitage. Avant de m'endormir, j'ai relu la Reine des Fées. C'est une légende très mystérieuse. La Reine des Fées a disparu depuis toujours et les fées la recherchent sans l'avoir jamais vue. Rose disait qu'il y a plusieurs versions de cette légende. Dans mon livre, il n'y en a qu'une. Je suis contente que le chauffeur du camion m'ait donné son adresse, même si je ne sais pas la lire parce que je ne connais pas encore le nouvel alphabet. Je n'oublie pas tout ce que je dois au chauffeur. C'est grâce à lui que je ne suis plus vierge. Il n'aurait plus manqué que j'arrive vierge à Oat, déjà que je ne connais pas le nouvel alphabet et que je ne suis pas en règle avec la mairie. Je revois le camion jaune comme s'il était devant moi, et la cabine avec le fauteuil qui fait couchette. Le chauffeur aura du mal à faire partir le sang sur la housse. Elle restera sûrement un peu tachée. Grâce à la tache, le chauffeur ne m'oubliera pas.

4

A mon réveil, j'ai entendu des coups de marteau. C'est Nem en haut de son échelle qui décloue l'enseigne. Il dit qu'il est grand temps de la déclouer parce que la rouille commence à attaquer les lettres. Vue de près, l'enseigne de la rue des Charmes ne ressemble pas à celle de l'Ermitage. L'enseigne de l'Ermitage est intacte, elle n'est pas attaquée par la rouille. Nem dit que c'est le jour de passage du brocanteur. Il va lui vendre l'enseigne à un bon prix, depuis le temps que le brocanteur la convoite. Le brocanteur a déjà acheté toutes les enseignes du quartier des Charmes. Ça fait longtemps qu'il attend que Nem lui vende la sienne pour se dire qu'il les a enfin toutes achetées. Le brocanteur a aussi acheté tout ce qu'il y avait dans la maison de Rose. C'est donc parce que le brocanteur a tout emporté que les pièces sont vides. Tout à coup, Nem a repensé à mon enseigne de l'Ermitage. Il est vite allé la chercher et il l'a regardée longtemps. J'ai eu peur qu'il veuille la clouer à la place de celle qu'il vient de déclouer. Mais non, il me l'a rendue. Il m'a dit que le brocanteur paierait très cher pour avoir mon enseigne. Il cherche depuis longtemps dans tout le quartier des Charmes une enseigne exactement comme la mienne. Il n'est pas question que je vende mon enseigne au brocanteur. C'est mon seul souvenir de l'Ermitage et ce n'est pas un souvenir à vendre. Le visage de Nem s'est assombri. Il est remonté dans sa chambre sans rien dire. Il a dû repenser à son alphabet et au temps qui va plus vite que lui.

J'ai pris l'adresse du chauffeur du camion pour la montrer à mademoiselle Marthe en guise de recommandation, et je me suis dirigée vers le port. J'ai été saisie par l'air vif de la mer. L'air de la mer n'entre pas dans la ville tout entière tournée vers la lagune. J'ai remonté le boulevard jusqu'à la mairie. La mairie est bien dans le bâtiment du bureau des Douanes. Elle n'a pas l'air importante. Juste au début du couloir, il y a un bureau vitré. J'ai dit à l'employée que je venais voir mademoiselle Marthe. Elle m'a indiqué le bureau d'accueil au fond du couloir. Ce n'est pas un vrai bureau. On ne doit pas y accueillir grand monde. J'ai attendu mademoiselle Marthe un bon moment. La mairie fait vide. Mademoiselle Marthe est arrivée d'un air pressé comme si je la dérangeais. Elle m'a tout de suite demandé par quel bateau j'étais arrivée. Elle croyait qu'aujourd'hui aucun bateau du continent n'était annoncé. Je n'ai pas eu le temps de montrer ma surprise à mademoiselle Marthe qu'elle me disait qu'il n'y a aucune place pour moi à Oat. Toutes les places sont prises. Quand j'ai enfin pu parler, je lui ai dit tout de suite qu'elle se trompe sur mon compte. Je ne suis pas arrivée par bateau comme elle le croit, mais par la piste de la forêt. Et je ne viens pas du continent, mais des cascades. Mademoiselle Marthe m'a regardée avec étonnement. J'en ai profité pour lui expliquer toute ma situation et pour lui parler du chauffeur du camion. Pendant que je parlais, elle a pris l'adresse que je lui montrais, elle l'a regardée et elle l'a mise dans sa poche. Puis elle m'a enfin souri, et elle a dit que c'est bien la première fois qu'elle voit un cas comme le mien. Elle dit que Rose a commis une faute en ne me déclarant pas à la mairie de Oat. Il y a douze ans, la mairie du port venait juste d'ouvrir. On aurait fait une enquête. Mademoiselle Marthe dit que Rose m'a peut-être recueillie par erreur. Maintenant il est trop tard pour faire une enquête. Mademoiselle Marthe veut que je déclare la mort de Rose au bureau de l'état civil. C'est le bureau vitré à l'entrée du couloir. Mademoiselle Marthe dit que Rose doit être inscrite dans le registre des décès comme j'aurais dû être inscrite il y a douze ans dans le registre des naissances.

Mademoiselle Marthe a ensuite voulu me faire une carte d'identité. Je ne peux pas vivre à Oat sans carte d'identité. Elle m'a fait une carte d'identité provisoire. Sur la carte, elle a écrit Mélie, et à côté de Mélie un numéro. Je lui ai demandé ce que c'est que ce numéro que je ne connais pas. C'est à la place de mon nom qui est inconnu. Mélie, ce n'est pas mon nom, c'est mon prénom. Mademoiselle Marthe dit que le numéro c'est la même chose que le nom pour la mairie. Mélie, ça ne suffit pas pour m'identifier parce qu'il y a beaucoup de Mélie à Oat, alors que mon numéro est unique, c'est le 3175, je dois le connaître par cœur. Elle m'a demandé de revenir avec une photo, alors elle me fera ma carte d'identité définitive. Je lui ai dit que je n'ai pas de photo parce que je n'ai jamais été photographiée. Mademoiselle Marthe m'a donné l'adresse du photographe, 1 rue des Cigognes. Il faut que je dise au photographe que je viens de la part de mademoiselle Marthe. Il ne fait plus de photos depuis longtemps, mais il fera une exception pour moi qui viens de la part de mademoiselle Marthe.

J'ai profité que mademoiselle Marthe est bien disposée à mon égard pour lui demander comment je peux apprendre le nouvel alphabet. Mademoiselle Marthe a été très intéressée quand je lui ai dit que je connaissais l'ancien alphabet. Elle m'a tout de suite parlé de son projet qu'elle ne peut pas réaliser parce qu'elle ne connaît pas l'ancien alphabet. Elle voudrait ouvrir une bibliothèque dans la mairie. Mais personne ne peut plus lire les livres de l'ancienne bibliothèque de Oat écrits en ancien alphabet. Si j'apprends le nouvel alphabet, je pourrai traduire les livres et mademoiselle Marthe pourra alors ouvrir sa bibliothèque. Elle dit que c'est bon signe que j'habite chez Nem, l'ancien bibliothécaire de Oat. Elle dit que Nem a ruiné la bibliothèque en refusant d'apprendre le nouvel alphabet. Mademoiselle Marthe voudrait la sauver de l'oubli. Elle dit qu'elle compte sur moi pour l'aider. A mon âge, c'est inespéré de pouvoir envisager un emploi de traductrice à la mairie. Il faut d'abord que j'apprenne le nouvel alphabet. Mademoiselle Marthe m'a donné une série de brochures pour l'apprendre. C'est une méthode conçue par elle du temps où elle se préparait à devenir institutrice. Mais l'école a fermé juste avant. L'école, c'est sur le continent maintenant. Mademoiselle Marthe n'a pas voulu quitter Oat, alors elle n'a jamais été institutrice. Elle s'est fait engager à la mairie qui venait juste d'ouvrir. Je suis sa première élève. Elle m'a dit qu'elle me corrigerait mes exercices. Rose ne me l'avait pas dit que je vivais sur une île. Oat, c'est aussi le nom de l'île. Rose ne m'a jamais parlé du continent non plus. Est-ce que ça change tout que Oat soit une île et pas le continent ?

Mademoiselle Marthe m'a dit que je devais aller au dispensaire à la visite médicale. Le dispensaire fait partie de l'hôpital. C'est la grande villa blanche en descendant le boulevard. Il faut savoir que c'est un hôpital. Mademoiselle Marthe veille personnellement à la bonne marche du dispensaire. Tous les voyageurs qui viennent du continent doivent passer la visite médicale. C'est un décret de la mairie de Oat. Mademoiselle Marthe dit que c'est capital pour protéger Oat des maladies du continent. Les maladies du continent sont sa hantise. Oat se dépeuple à cause de l'émigration vers le continent. Il ne faudrait pas que les habitants qui restent soient décimés par les maladies du continent. Mademoiselle Marthe ne s'occupe pas seulement du bureau d'accueil. Elle veut ouvrir une bibliothèque et elle veille à ce que les décrets municipaux soient respectés. Elle dit qu'un port maritime, c'est toujours propice à la propagation des maladies. Jusqu'à maintenant, grâce à la visite médicale obligatoire, Oat a été préservée et la population vit très vieille. Aux cascades, je ne vois pas quelle maladie j'aurais pu attraper. Mais mademoiselle Marthe ne fait pas d'exception au règlement. Et le décret municipal ne fait pas de différence entre le continent et les cascades.

J'ai redescendu le boulevard jusqu'au port de pêche. Le boulevard va du port de pêche au bâtiment du bureau des Douanes. Le port maritime ne s'est pas développé à cause de la mévente du bois. Il a été construit juste au mauvais moment. Sur les quais du port de pêche, les barques sont serrées les unes contre les autres. Oat vit surtout de la pêche maintenant. Il y a un seul bateau de pêche au milieu de toutes les barques. Par rapport au grand bateau que j'ai vu à mon arrivée à Oat, c'est un tout petit bateau, mais par rapport aux barques c'est un vrai bateau. Je me suis assise sur le ponton qui est juste en face du bateau. J'ai beau me dire que tout là-bas c'est le continent, je ne vois rien que la mer. Alors c'est comme si le continent n'existait pas. Les barques sont vieilles. Le bateau aussi est vieux, mais son nom vient d'être repeint. C'est écrit en nouvel alphabet.

Un jeune pêcheur s'est assis sur le ponton voisin. Il vient juste du bateau. Il a son repas dans son sac, il m'en a offert la moitié. Il m'a dit qu'il s'appelle Yem. Je lui ai demandé s'il a déjà été jusqu'au continent. Il n'y a jamais été et il n'a pas envie d'y aller. Moi non plus, je n'ai pas envie d'y aller. Yem a seize ans. Il est grand pour son âge. Moi aussi, je suis grande pour mon âge. Yem dit que c'est la première fois qu'une jeune fille vient s'asseoir sur le ponton devant son bateau. Je lui ai demandé de me lire le nom de son bateau. C'est la Reine des Fées. Je ne reconnais pas ce nom écrit en nouvel alphabet sur le bateau de Yem. Pourtant c'est un nom que je connais bien puisque c'est le titre d'une légende de mon livre. C'est drôle comme un nom change en passant de l'ancien alphabet dans le nouveau. On dirait que ce n'est plus le même nom. Yem est fier de travailler sur son bateau. Le patron de la Reine des Fées lui apprend tout ce qu'il faut savoir. Yem habite la petite cabine qui est juste sous le pont. Il dit qu'il est né dans un bateau qui est reparti il y a longtemps. C'est la première fois qu'il n'a pas envie de changer de bateau. Jusqu'à maintenant, tous les bateaux lui faisaient envie. Il m'a invitée à venir visiter la Reine des Fées la prochaine fois que je viendrai m'asseoir sur le ponton. Aujourd'hui, il n'a pas le temps. Les yeux de Yem sont de la couleur de la mer. Je lui ai dit que je venais des cascades. Il ne connaît pas les cascades. A Oat, il ne connaît que le port. Je lui ai dit que je suis née dans une grotte. Lui, il est né dans un bateau et moi dans une grotte. Ce n'est pas pareil. Le patron de la Reine des Fées est arrivé. Yem l'a suivi, il m'a dit à bientôt. Je reviendrai m'asseoir sur le ponton. Je veux visiter le bateau de Yem. J'ai oublié de lui dire que son bateau a le nom d'une légende de mon livre. Il n'y a que les alphabets qui ne soient pas les mêmes.

5

Je n'ai pas osé demander à mademoiselle Marthe qu'elle me rende l'adresse du chauffeur du camion. Mais ça m'ennuie qu'elle ne me l'ait pas rendue. Nem n'est pas descendu m'ouvrir quand j'ai frappé au marteau de la porte, pourtant j'ai frappé très fort. Alors j'en ai profité pour aller rendre visite à Mélie. On pourrait croire que le passage des Charmes c'est la rue des Charmes si ce n'était pas écrit passage au lieu de rue sur le panneau. Il n'y a qu'une seule maison aux volets ouverts. C'est la même maison que la maison de Nem en bois verni avec des balcons. Maintenant que Nem a décloué l'enseigne, il n'y aurait pas moyen de distinguer les deux maisons si l'une n'était pas dans la rue des Charmes et l'autre dans le passage. J'avais à peine cogné au marteau de la porte que Mélie est venue m'ouvrir. Elle est au moins aussi vieille que Nem. Mais elle aime les visites, elle m'a tout de suite fait entrer sans même me demander qui je suis. Elle n'est pas sourde comme Nem. Je n'ai pas besoin de crier pour lui parler. Elle est coquette pour son âge. Elle porte une robe de laine brodée gris perle avec un châle assorti et de jolis chaussons assortis aussi, et un bonnet qui ressemble à celui de Rose. Elle m'a tout de suite dit qu'elle est très contente que je m'appelle Mélie comme elle. Elle croyait que c'était un nom qui ne se portait plus. Elle me dit que je suis la bienvenue dans sa maison. Elle vit isolée de tout maintenant. Elle dit que Nem n'est pas un vrai voisin, qu'il est perdu dans le quartier des Charmes.

Mélie a voulu me faire visiter sa maison. L'intérieur ne ressemble pas du tout à la maison de Nem. Il y a des lampes allumées partout malgré le jour. Mélie m'explique que c'est à cause de son début de cataracte. Elle a un léger voile devant les yeux. Quand elle s'approche d'une lampe, elle a l'impression que le voile disparaît. Alors elle met le plus de lampes possible pour faire comme si le voile avait disparu. La maison de Mélie fait habitée même si elle est inhabitée. Mélie m'ouvre toutes les portes pour que je voie toutes les chambres. C'est toujours les mêmes chambres avec un grand lit et un miroir au cadre doré au-dessus du lit. Le cadre doré m'a fait penser au miroir de Rose. Mais c'était un miroir miniature puisqu'elle le tenait dans sa main. Vers la fin, Rose restait des heures devant son petit miroir. Comme elle n'y voyait presque plus, je me demande bien ce qu'elle regardait. Le miroir de Rose faisait partie des souvenirs qu'elle a cassés le dernier jour. Mélie dit que rien n'a changé dans les chambres. Il y a encore les robes et les châles dans les malles. Mélie n'a rien vendu au brocanteur. Elle vit seule dans cette maison depuis douze ans. Elle dit qu'elle n'a jamais connu la propriétaire qui est morte sans héritier. Mélie est la dernière gérante de la maison. Avant elle, il y a eu beaucoup d'autres gérantes. La maison est très ancienne. Autrefois, il y avait une pensionnaire par chambre. Mélie veillait sur chacune. Je lui ai demandé pourquoi les pensionnaires sont parties alors que la maison est si accueillante. Mélie dit que le quartier des Charmes s'est vidé d'un seul coup quand le port intérieur a fermé. Elle n'a pas voulu abandonner la maison parce qu'elle est la dernière gérante. Elle m'a demandé où j'habitais avant d'habiter chez Nem. Je lui ai dit que j'avais toujours habité l'Ermitage avec Rose. Rose, Mélie dit qu'elle l'a connue. Elle a été pensionnaire dans sa maison. Mélie m'a montré sa chambre, la chambre 3. Sur un des murs, il y a la photo d'une jeune fille. Mélie me dit que c'est la photo de Rose. Mais cette photo ne ressemble pas à celle qui est dans le couloir de la maison de Nem. J'ai demandé à Mélie si Rose a habité sa maison et la maison de Nem. Mélie ne sait pas me répondre. Elle n'a plus toute sa mémoire. Elle confond les noms et les dates. C'est sa première visite depuis douze ans. Nem ne lui rend jamais visite. Mélie dit qu'il la prend pour son ancienne servante. Elle dit que sa maison est la maison de Rose. Elle s'ennuie maintenant que sa maison est inhabitée. Autrefois les pensionnaires recevaient beaucoup. C'était toujours fête. Maintenant le passage des Charmes n'est plus rien, plus personne n'y passe. Mélie a un air triste en pensant à autrefois.

Mélie m'a invitée dans son salon. Comme elle est la

gérante, elle a un salon attenant à sa chambre. Elle m'a fait asseoir dans le meilleur fauteuil. Elle a absolument voulu me faire goûter aux liqueurs. Les liqueurs étaient la spécialité de la maison. Toutes les pensionnaires avaient la leur et l'offraient à leurs invités. Mélie dit que les liqueurs se bonifient avec le temps, alors elles sont encore meilleures qu'autrefois. Elle m'en verse une goutte de chaque pour que je goûte à toutes. Je n'ai pas l'habitude des liqueurs, ça me fait tourner la tête. Mélie n'est pas pressée que je parte. Ses mains tremblent. En versant les liqueurs dans les petits verres, elle en verse à côté. Elle me fait penser à Rose. Vers la fin, les mains de Rose aussi tremblaient quand elle tenait le petit miroir dans sa main. Mélie n'arrête pas de répéter mon nom qui est aussi le sien. Elle le répète peut-être pour se rappeler qu'elle s'appelle Mélie. Elle m'a demandé de venir habiter chez elle. Elle dit que Nem n'a pas besoin de compagnie, il a seulement besoin qu'on s'occupe de lui et de sa maison pour remplacer sa servante qui est morte. J'ai dit à Mélie que Rose a écrit 7 rue des Charmes sur la dernière page de mon livre de légendes, elle n'a pas écrit passage, elle a écrit rue. Mélie dit que la rue des Charmes c'est le passage des Charmes. Les panneaux sont tombés et l'agent municipal s'est trompé en les raccrochant. L'agent municipal ne connaît pas le quartier des Charmes, il ne connaît que le boulevard du port. Il se trompe toujours en raccrochant les panneaux. On se croit dans une rue et on est dans un passage. J'ai dit à Mélie que je veux me fier aux panneaux tels qu'ils sont maintenant. Mélie a eu l'air triste. Pour la consoler, je lui ai dit que je viendrai la voir souvent. Elle m'a dit de venir la voir tous les jeudis. Les jeudis, autrefois, c'était son jour de visite préféré. Elle a déjà oublié qu'elle m'a demandé de venir habiter chez elle. Elle pense au prochain jeudi et aux jeudis d'autrefois. Je lui ai demandé où est la rue des Cigognes. La rue des Cigognes est tout près, au bout du passage des Charmes. Mélie a sorti un trousseau de clés de sa poche, et elle m'a donné une clé. Elle dit que cette clé ouvre sa maison et celle de Nem. C'est la même serrure. C'est la clé de la maison de Rose.

La rue des Cigognes est une rue à une seule maison. Je comprends que le photographe habite au numéro 1 puisque c'est le seul numéro. Il habite une grande maison en pierres. C'est la première maison en pierres que je vois à Oat. Elle est construite solide, elle n'est abîmée de nulle part. Le photographe porte un costume noir, sûrement un costume de photographe. Il est âgé, mais bien moins âgé que Nem et Mélie. Sa maison est à un carrefour. Il dit qu'elle est située juste au centre du quartier des Charmes. Mais c'est une enclave, la rue des Cigognes ne fait pas partie du quartier des Charmes. J'ai tout de suite dit au photographe que je viens de la part de mademoiselle Marthe pour me faire photographier. Il m'a fait entrer dans une très grande pièce. Il n'y a pas de pièce aussi grande chez Nem ou chez Mélie. C'est une pièce d'exposition avec des appareils photographiques installés partout sur de hauts tabourets. Je suis bien chez un photographe. Il m'a tout de suite dit que ses appareils ne marchent pas. Ce sont de très anciens appareils, des pièces rares qui constituent sa collection personnelle. Tous les appareils viennent du continent. C'est le brocanteur qui les a achetés pour lui pendant ses voyages sur le continent. Sa collection n'est pas encore terminée. Le photographe espère qu'elle concurrencera bientôt celle du Musée du continent. Il pense qu'il manque un musée à Oat. Quand sa collection sera terminée, il ouvrira le musée de Oat au 1 rue des Cigognes. Il veut que mademoiselle Marthe en soit la directrice. Il trouve qu'elle n'est pas à sa place à la mairie du port. C'est en pensant à mademoiselle Marthe qu'il a constitué sa collection, pour qu'elle soit la directrice du musée dont il sera le fondateur. Il a un lien avec mademoiselle Marthe. Avant d'être photographe, il dit qu'il a été architecte. Il n'a jamais exercé son premier métier parce qu'il trouve que c'est un métier impraticable. La photographie aussi maintenant il pense que c'est impraticable. C'est pour ça qu'il se consacre à l'achèvement de sa collection pour le futur musée de Oat. Il me décrit les caractéristiques de chaque appareil comme si j'étais une visiteuse de son musée. Pour moi, tous les appareils se ressemblent malgré leurs caractéristiques.

Heureusement, le photographe a repensé tout à coup que j'étais venue pour me faire photographier. Il m'a dit que c'est sa dernière photo pour la mairie. Il me photographie pour faire plaisir à mademoiselle Marthe.

Il dit que mademoiselle Marthe a grandi dans le quartier des Charmes. Elle a toujours été attirée par la maison du photographe. Il dit que mademoiselle Marthe n'a pas évolué comme il aurait souhaité. Il ne la reconnaît plus depuis qu'elle travaille à la mairie du port. Il dit que c'est à cause de ses mauvaises fréquentations. Il a l'air triste en pensant à ce qu'est devenue mademoiselle Marthe. On dirait qu'il oublie l'avenir de son musée. Il a sorti d'une armoire un petit appareil tout neuf qui n'a rien à voir avec les vieux appareils de sa collection. C'est le dernier modèle de polaroïd, le plus perfectionné qui existe. Il fait des instantanés couleur d'une excellente qualité. Le photographe voulait l'offrir à mademoiselle Marthe, mais elle n'en a pas voulu. Il m'a fait asseoir sur un tabouret devant la fenêtre. J'ai entendu un déclic dans le polaroïd. Quelques minutes plus tard, j'avais ma photographie. Je me suis regardée longtemps. Ce n'est pas du tout pareil que quand je me regarde dans le miroir. Au dos de la photo, j'ai écrit : *Mélie à douze ans, photographiée par le photographe de Oat au 1 rue des Cigognes.* C'est un événement pour moi d'être photographiée pour la première fois. Le photographe m'a dit que ça ne servait à rien que j'aie écrit au dos de la photo puisque mademoiselle Marthe va la coller sur ma carte d'identité et que je ne pourrais pas relire ce que j'ai écrit. Ça ne fait rien, j'avais quand même besoin d'écrire au dos de ma première photographie. J'ai écrit en petites lettres du mieux que j'ai pu, j'ai écrit en alphabet ancien.

Bientôt j'espère que je saurai aussi écrire en alphabet nouveau.

J'étais déjà partie quand le photographe m'a rappelée. C'est pour me donner son polaroïd. Il ne veut plus du polaroïd chez lui. Il m'a chargé de dire à mademoiselle Marthe que même exceptionnellement il ne ferait plus de photographies pour la mairie. Il n'a pas voulu que je le remercie pour le polaroïd. Il m'a montré comment ça marche. Il y a une pellicule de douze photos. Maintenant, il m'en reste onze à prendre. C'est inattendu pour moi de posséder un polaroïd et de pouvoir faire des instantanés couleur. J'ai rangé le polaroïd dans mon sac. Dorénavant, je sortirai toujours avec mon sac parce que je veux toujours avoir mon polaroïd sur moi au cas où j'aurais une photo à prendre. Le photographe ne réalise pas le cadeau qu'il me fait. Le polaroïd, c'est bien mieux que toute sa collection de vieux appareils pour le futur musée de Oat.

La clé que m'a donné Mélie ouvre bien la porte de la maison de Nem. Nem n'est pas à son pupitre. Il est assis sur son balcon et il regarde l'arbre en fleurs. Les premières fleurs viennent de tomber à cause du vent qui s'est levé tout à coup. Il y a un petit tapis rose juste au pied de l'arbre. Le vent entre dans la chambre, ça sent plus fort la lagune. Il va sûrement pleuvoir.

J'ai tout de suite montré ma photo à Nem. Il trouve que ce n'est pas ressemblant. Il dit n'importe quoi. Une photo, c'est toujours ressemblant. C'est parce qu'il n'a pas l'habitude des photos couleur. La photo accrochée dans son couloir est en noir et blanc. Il dit que c'est une photo ressemblante. Comment il peut le savoir ? Je ne peux pas me fier à ce qu'il dit. Son étagère est vide. Il a remis les gros livres dans la caisse. Les gros cahiers ont disparu du pupitre. Il s'est passé quelque chose.

Nem a mis du temps avant de me raconter la visite du brocanteur. Quand le brocanteur est passé pour acheter l'enseigne, Nem l'a fait monter dans sa chambre. Nem dit qu'il a tout à coup voulu savoir ce que le brocanteur pensait de ses gros livres qu'il n'a encore jamais montrés à personne. Le brocanteur les a reconnus tout de suite. C'est des vieux livres du continent, et l'alphabet ancien que Nem a si mal déchiffré, c'est l'alphabet ancien du continent. Nem n'a jamais été sur le continent, alors il ne pouvait pas connaître l'alphabet ancien du continent. Le brocanteur a été intéressé par les traductions de Nem. Il a dit que ses traductions des vieux livres du continent en alphabet ancien de Oat sont les seules qui existent et que ce sont de bonnes traductions. Il a proposé à Nem de les lui acheter pour les revendre à la Bibliothèque du continent. Nem a accepté de les vendre pour s'en débarrasser. Mais il continue de penser que ce sont de mauvaises traductions, et qu'il a mal déchiffré l'alphabet. Il dit que le brocanteur ne s'y connaît pas en alphabet ancien et que son jugement n'est pas le bon. Il dit que c'est parce qu'il est originaire de Oat qu'il n'a pas su déchiffrer l'alphabet ancien du continent. Il dit qu'il aurait dû naître sur le continent et pas à Oat. Il dit que toute sa vie est une erreur, même sa naissance est une erreur. Son pupitre est vide maintenant qu'il a vendu ses gros cahiers au brocanteur. Nem dit qu'il a vécu enfermé dans sa bibliothèque à étudier l'alphabet ancien de Oat alors que c'est l'alphabet ancien du continent qu'il fallait étudier. Il ne sait plus ce qu'il fait dans la maison de Rose. Il dit qu'il a toujours été personne, même quand il était le bibliothécaire de Oat, il était personne.

Avant de se coucher, Nem m'a dit que je venais trop tard. Il me confond avec la jeune fille photographiée dans le couloir. Il me prend pour Rose, même si je lui dis que je m'appelle Mélie et pas Rose. J'ai encore regardé ma photo. Elle ne ressemble pas du tout à celle du couloir. Je n'ai pas de photo de Rose. Elle ne devait pas aimer les photos, sinon elle m'en aurait donné une. Rose, je la confonds un peu avec Mélie. Heureusement que je n'habite pas chez Mélie. J'aurais fini par me dire que Mélie c'est Rose. Alors que moi je veux que Rose soit Rose. Les noms se mélangent facilement si on ne fait pas attention. C'est ce qui doit arriver à Nem qui pense que je suis Rose alors que je m'appelle Mélie. Rose, je n'ai jamais su son nom. A l'état civil, quand j'ai voulu aller déclarer son décès pour obéir à mademoiselle Marthe, je n'avais que son prénom à déclarer. Mademoiselle Marthe aurait trouvé que ce n'est pas suffisant. Par chance, l'employée était au téléphone. Elle n'a rien entendu quand je lui ai déclaré la mort de Rose parce qu'elle avait les écouteurs à ses oreilles. Elle a pensé que je lui disais au revoir, elle n'a pas pensé que je lui déclarais un décès. Alors elle n'a pas enregistré la mort de Rose dans son registre. Mademoiselle Marthe serait fâchée si elle le savait. Mais moi, je préfère que Rose ne soit pas enregistrée dans le registre des décès de la mairie de Oat. Ça ne l'empêche pas d'être morte.

6

Mademoiselle Marthe a trouvé ma photo très ressemblante. Elle l'a collée sur ma carte d'identité provisoire. Elle a mis un tampon de la mairie sur la photo et sa signature sur le tampon. Et voilà, maintenant je suis en possession de ma carte d'identité définitive. Il suffit de peu pour passer d'une carte d'identité provisoire à une carte d'identité définitive. J'ai dit à mademoiselle Marthe que le photographe m'avait chargé de lui dire qu'il ne ferait plus de photographie pour la mairie. Je lui ai dit aussi qu'il m'a donné le polaroïd. Mademoiselle Marthe a dit qu'il a bien fait, le polaroïd, c'est de mon âge. Elle n'aime pas que je lui parle du photographe. Je lui ai quand même demandé si ça lui plaisait de devenir directrice du futur musée de Oat. Elle a dit qu'il n'y aura jamais de musée à Oat. Les habitants ne s'intéressent pas aux appareils photographiques, et les voyageurs en escale à Oat ont tous visité le Musée du continent qui est sans comparaison avec le musée que voudrait ouvrir le photographe. Mademoiselle Marthe dit que la photographie, c'est son erreur de jeunesse.

Il n'est pas question pour mademoiselle Marthe

d'abandonner son poste à la mairie. Elle s'y est fait une situation. Elle n'est pas simple employée du bureau d'accueil même si elle en a gardé le titre. Maintenant elle est l'adjointe au maire. Et comme le maire est parti vivre sur le continent, c'est elle qui prend les initiatives. Être adjointe au maire en l'absence du maire, c'est presque être maire. Mademoiselle Marthe espère pouvoir lui succéder aux prochaines élections. Le maire ne se représentera pas puisqu'il ne veut plus revenir à Oat. Mademoiselle Marthe pense qu'elle a toutes les chances d'être élue. Elle a fait les preuves de sa compétence en exerçant les fonctions d'adjointe au maire. Elle veut le développement du port de Oat. C'est une chance qu'elle s'intéresse à moi vu les hautes fonctions qu'elle occupe à la mairie.

Nem vit enfermé dans sa chambre. Il dit que maintenant il veut oublier le temps pour oublier l'alphabet ancien du continent. Il veut oublier l'alphabet ancien du continent. Il dit que s'il réussit à oublier le temps il retrouvera peut-être la mémoire. Depuis qu'il s'est mis à pleuvoir, il pleut presque sans arrêt. La moitié du terrain vague est inondé. J'apprends le nouvel alphabet grâce aux brochures que m'a données mademoiselle Marthe. C'est facile à apprendre. Je travaille du matin au soir dans ma chambre. J'avance vite. Mademoiselle Marthe corrige mes exercices. Il y a zéro faute. Mademoiselle Marthe trouve que je suis une bonne élève et que j'ai des capacités. Je sais déjà lire les affiches de la mairie. Tous les décrets municipaux sont affichés dans le couloir de la mairie. Mademoiselle Marthe souhaite que je m'inscrive au certificat en candidate libre. Elle dit que c'est toujours bon d'avoir le certificat, surtout quand on n'a pas le brevet. Du temps de mademoiselle Marthe, on pouvait passer le brevet en candidate libre, mais maintenant on ne peut plus. Toutes les jeunes filles de Oat qui avaient des capacités sont parties sur le continent pour préparer le brevet et elles ne sont pas revenues. Mademoiselle Marthe m'a donné de nouvelles brochures pour compléter mon apprentissage du nouvel alphabet et pour me préparer au certificat. J'aime bien étudier seule dans ma chambre. Il pleut tous les jours. Je ne suis pas dérangée par le bruit. Nem ne fait aucun bruit. Le programme du certificat est simple. Rose m'a beaucoup appris. Elle en savait beaucoup plus qu'il faut en savoir pour passer le certificat. Elle m'a donné le goût de l'étude sans que je m'en rende compte.

Je ne serai pas traductrice parce qu'il n'y aura pas de bibliothèque à la mairie comme le voulait mademoiselle Marthe. Le maire a donné l'ordre d'expédier les vieux livres de l'ancienne bibliothèque de Oat à la Bibliothèque du continent. Plus j'apprends le nouvel alphabet, plus je pense que j'aurais rencontré des difficultés de traduction. Il vaut mieux que je passe le certificat et que je postule au poste de secrétaire de mairie qui est vacant. Mademoiselle Marthe vit seule dans son logement de fonction au dernier étage de la mairie. Elle consacre toutes ses journées à la mairie, sauf le dimanche. Le temps passe vite à finir d'apprendre le nouvel alphabet et à préparer le certificat. Mademoiselle Marthe est contente de moi. Elle m'a dit que maintenant que j'avais bien travaillé j'allais pouvoir profiter de mon dimanche. Elle m'a dit que ce serait une surprise.

Je suis passée prendre mademoiselle Marthe à quatre heures. C'est mon premier dimanche avec mademoiselle Marthe. Elle a décidé de m'emmener au goûter dansant du Continental. Elle dit que le Continental, c'est le bar le plus chic et le mieux fréquenté du port. J'ai été surprise de voir mademoiselle Marthe en habits du dimanche. Je ne l'ai jamais vue si élégante. A la mairie, elle est toujours habillée strict. Elle a mis une robe fourreau de satin noir avec un petit col de fourrure blanche et une toque assortie. Elle a mis aussi des escarpins qui la font paraître plus élancée et elle a un petit sac en lézard assorti à ses escarpins. Heureusement que j'ai mon polaroïd dans mon sac. J'ai fait ma première photo devant le Continental. Au dos de la photographie, j'ai écrit : *Mademoiselle Marthe dans sa robe fourreau de satin noir et son col de fourrure blanche avec la toque assortie, devant le Continental, le jour de mon premier goûter dansant.* C'est vraiment une photo réussie. Il y a eu une éclaircie au moment de la photo. On voit l'enseigne du Continental en arrière-plan de mademoiselle Marthe. J'ai écrit en alphabet ancien le plus petit que je pouvais. Mais maintenant que je sais aussi écrire le nouvel alphabet, j'ai le choix entre les deux alphabets. Mademoiselle Marthe a trouvé que je suis une enfant pour écrire au dos de la photo. Je lui ai dit que je ne suis plus une enfant puisque j'ai eu mes premières règles et que je ne suis plus vierge. Elle a souri, elle a dit que ça ne m'empêche pas d'être une enfant quand même.

On s'est assises le plus près possible de la piste de danse pour avoir la meilleure vue. Mademoiselle Marthe a commandé deux chocolats et deux éclairs. Elle a le regard brillant. Elle a dansé toutes les danses. Elle change souvent de partenaire. C'est moi qui ai bu les deux chocolats et qui ai mangé les deux éclairs. J'ai très soif et très faim. J'ai demandé à mademoiselle Marthe si elle venait souvent aux goûters dansants du Continental. Elle y vient tous les dimanches. C'est une habituée. Entre les danses, elle descend souvent aux toilettes. Je l'ai vue descendre par l'escalier. En haut de l'escalier qui se trouve au fond de la piste de danse, il y a un panneau avec écrit dessus : Toilettes, et une flèche qui descend. Maintenant que je connais le nouvel alphabet, je peux lire tous les panneaux. Je n'ose pas suivre mademoiselle Marthe, et pourtant moi aussi j'ai très envie de descendre aux toilettes. Je ne voudrais pas qu'elle pense que je la suis partout et que je suis curieuse. C'est très gentil à elle de m'avoir emmenée au goûter dansant. Jamais je n'y serais allée seule puisque les mineures doivent être accompagnées. Je ne veux pas être une gêne pour mademoiselle Marthe. Elle doit avoir ses habitudes puisque elle y vient tous les dimanches.

J'ai refusé quand on m'a invitée à danser. Pour la première fois, je préfère regarder et étudier les pas de danse. Ça n'a pas l'air difficile, il suffit de suivre le rythme comme mademoiselle Marthe qui danse très bien justement en suivant le rythme. Mademoiselle Marthe a dit que j'ai de la chance que le juke-box vienne d'être livré. Jusqu'à maintenant, aux goûters dansants du Continental, il n'y avait que le pick-up. Mademoiselle Marthe trouve que la musique du juke-box est sans comparaison avec celle du pick-up. On ne voit pas la mer depuis le Continental à cause des épais rideaux aux fenêtres. L'éclairage est tamisé. On ne dirait pas que c'est l'après-midi. J'ai remarqué que quand mademoiselle Marthe descend aux toilettes il y a toujours un danseur qui la suit.

En sortant du Continental, on s'est promenées sur le boulevard du port. On est passées devant le Bastringue. J'ai demandé à mademoiselle Marthe s'il y a aussi des goûters dansants le dimanche après-midi au Bastringue. Mademoiselle Marthe m'a dit que oui, mais ils sont mal fréquentés. Pourtant il y a l'air d'avoir beaucoup d'ambiance au Bastringue avec un orchestre et pas un juke-box, et la terrasse qui domine la mer est noire de monde. Mademoiselle Marthe m'a répété que le Continental est plus sélect que le Bastringue. Je ne veux pas la contredire. Elle m'a vraiment prise en sympathie. Le Continental, c'est sa folie. Elle m'a avoué, comme si elle me faisait une confidence qu'elle n'a encore jamais faite à personne, qu'elle y venait aussi le soir après minuit.

C'est alors seulement réservé aux membres du club. A partir de minuit, le Continental est un club privé. Mademoiselle Marthe a sorti de son sac en lézard sa carte de membre du club. On ne donne la carte qu'aux personnes majeures. Alors je n'irai pas au Continental après minuit avec mademoiselle Marthe. Il y a sûrement une grande différence entre les après-midi au Continental et les après-minuit. Mademoiselle Marthe a l'air de préférer les après-minuit. C'est sûrement quand elle a passé une après-minuit au Continental que le matin elle a les traits si tirés et qu'elle fait plus que son âge tout à coup.

Pour l'accompagner au goûter dansant, mademoiselle Marthe m'a donné une robe de velours rouge avec un boléro assorti. C'est une robe qui suit la forme du corps et qui met le corps en valeur. Mademoiselle Marthe dit que c'est sa première tenue de jeune fille. Elle est contente que je la porte à mon tour parce qu'elle avait la même taille que moi quand elle avait mon âge. Ce n'est pas tout à fait vrai. La robe me serre un peu trop. Mademoiselle Marthe dit qu'elle a été formée au même âge que moi. Mais je dois être plus formée qu'elle. Elle m'a donné une paire de ballerines rouges assorties à ma robe. J'aurais préféré des escarpins pour paraître plus grande. C'est la première fois que je suis habillée tout en rouge.

Toute la semaine j'ai attendu le dimanche. Le dimanche, je suis passée prendre mademoiselle Marthe à quatre heures précises. Elle avait sa robe fourreau de satin noir et moi ma robe de velours rouge avec le boléro. On s'est assises à la même table juste au bord de la piste. C'est une table spécialement réservée à mademoiselle Marthe. Cette fois, je n'ai pas manqué une danse. J'ai dansé avec Pim. Pim est marin. Il m'a même précisé qu'il est élève-officier. Chaque semaine, il fait l'aller-retour sur un grand bateau entre Oat et le continent. Le dimanche, son bateau fait toujours escale à Oat parce que les officiers de l'équipage apprécient les goûters dansants du Continental. Pim est un bon danseur. Il sait m'entraîner. Il m'a dit que je danse bien pour une première fois. Après plusieurs danses, il y a eu un entracte. Pim m'a proposé de descendre aux toilettes. Il m'a suivie dans les toilettes pour dames. Je n'ai rien dit, il a l'air de connaître. Le premier cabinet est occupé, je suis entrée dans le deuxième. Pim m'a suivie. Il a fermé le loquet de la porte. Maintenant les deux cabinets sont occupés. J'ai fait tout comme Pim voulait. Il a plus l'habitude des toilettes pour dames que moi. Il dit que les toilettes pour dames du Continental sont réputées et que c'est grâce à ses toilettes que le Continental est si bien fréquenté le dimanche après-midi. Pim a beau n'être qu'élève-officier, il a de l'expérience. Il m'a fait mettre à genoux sur le rebord de la cuvette des cabinets. Il a enlevé ma culotte, mais il a voulu que je garde ma robe et mes ballerines. Il a seulement relevé ma robe. Il n'a pas pris le temps de me caresser. Il a voulu tout tout de suite. Il a dit qu'il ne fallait pas rater la prochaine danse. Mais l'entracte dure le temps qu'il faut. Par-derrière, c'est la première fois. Pim m'a mordue au cou et il a enfoncé ses ongles dans mon ventre. J'ai serré très fort le tuyau de la chasse d'eau. J'ai poussé un petit cri. Pim m'a mis les mains sur la bouche. Il ne faut pas crier dans les toilettes du Continenal, ça ne se fait pas. Quand on a eu fini d'avoir du plaisir, Pim m'a dit que j'avais un beau derrière. Maintenant je suis encore plus une vraie jeune fille depuis que Pim m'a prise par-derrière à genoux sur le rebord de la cuvette. J'aime bien descendre aux toilettes pour dames avec Pim. On est remontés sur la piste de danse dès qu'on a entendu la musique du juke-box. Mais on est redescendus deux fois encore aux toilettes. A chaque fois, Pim m'a fait mettre à genoux sur le rebord de la cuvette.

En quittant le Continental avec mademoiselle Marthe, on s'est promenées comme dimanche dernier sur le boulevard du port. Je lui ai parlé de Pim. Je lui ai dit aussi qu'on est descendus aux toilettes et ce qu'on a fait dans les cabinets. Mademoiselle Marthe a souri, elle a dit que c'est de mon âge. Et elle m'a serré le bras très fort. Je ne lui ai pas demandé ce qu'elle faisait quand elle descend aux toilettes suivie d'un danseur. Si elle avait envie de me le dire, elle me le dirait. A son âge, elle ne fait sûrement pas les mêmes choses que moi.

Ça me manquerait si je n'avais plus les goûters dansants du dimanche. Pim est aussi impatient que moi du prochain dimanche. Qu'est-ce que je ferais si je n'allais pas au Continental le dimanche ? Oat est encore plus mort le dimanche que la semaine. Et je ne peux même pas compter sur Nem pour me tenir compagnie. Il sort toute la journée sans me dire où il va. Il ne rentre qu'en fin d'après-midi pour se reposer dans sa cour selon son habitude. Il regarde les fleurs de l'arbre qui tombent les unes après les autres. Il ne met plus jamais son appareil dans ses oreilles. Il dit qu'il est cassé. Alors c'est impossible d'avoir une conversation avec lui. A son âge, c'est mauvais de sortir avec toute l'humidité qu'il y a à cause des pluies. Il sort même quand il pleut. Mademoiselle Marthe veut mon bien. Elle me fait faire de petits travaux de bureau en attendant que je passe mon certificat. La mairie me verse une petite rémunération. Ça me fait mon argent de poche. Les dernières fleurs de l'arbre sont tombées. La cour est toute rose. J'ai pris Nem en photo assis sur sa chaise basse dans la cour. Mais Nem a bougé exprès quand il a vu que je le prenais en photo. Il a été coupé, on ne voit qu'une moitié de Nem. La photo est toute rose à cause des fleurs de l'arbre qui sont tombées et qui recouvrent la cour. Au dos de la photo, j'ai écrit : *7 rue des Charmes, la cour recouverte des fleurs roses de l'arbre et Nem coupé parce qu'il a bougé pendant la photo*. On ne reconnaît pas Nem sur la photo.

Maintenant que Nem est toujours sorti, moi aussi je sors. Je n'ai plus rien à étudier, j'ai étudié toutes les brochures. Je vais toujours du côté de la lagune. Plus on approche de la lagune, plus c'est désert et plus les maisons sont abîmées. La rue des Bornes longe bien la lagune. Les maisons ont été construites d'un seul côté. De l'autre côté, il devait y avoir les quais du port que la lagune a peu à peu recouverts. Les maisons de la rue des Bornes sont en ruines, sauf une. Sa façade est même encore en bon état, sûrement parce qu'elle est construite en pierres. Mais la façade est trompeuse. L'intérieur est délabré. Il y a encore l'escalier qui monte à l'étage. Une partie de l'étage est effondrée, mais il reste une chambre encore en état avec ses meubles. L'armoire est pleine de vêtements. Il y a des vêtements de mariés. Je les ai sortis pour leur faire prendre l'air. J'ai trouvé deux mannequins au fond du débarras. C'est des mannequins de couturière. C'était peut-être la maison d'une couturière. J'ai habillé les mannequins avec les vêtements de mariés. Les vêtements sont juste à leur taille. Il y a le marié et la mariée. Il ne manque que le voile de la mariée et le chapeau du marié. J'ai couché les mariés sur le lit. Je me repose dans la chambre avant de repartir. Je regarde la lagune par la fenêtre. L'eau fait sale. C'est une eau stagnante avec une odeur. Au milieu de la lagune il y a un grand bateau tout rouillé qui s'enfonce lentement dans l'eau. Ce doit être l'épave d'un bateau qui s'est trouvé prisonnier de la lagune quand le chenal s'est ensablé. J'ai aperçu une barque qui s'avance en direction du grand bateau. Il m'a semblé reconnaître Nem. Alors quand il sort, c'est pour aller en barque sur la lagune. A son âge, ce n'est pas prudent. Il continue à vouloir oublier le temps. Sur la lagune, peut-être qu'il l'oublie.

Tout au loin, j'aperçois le début de la forêt. Par temps clair, j'aperçois aussi la montagne de l'Ermitage. Mais je n'oublie pas que je suis à Oat. Mélie 3175, c'est un drôle de nom pour dire qui je suis.

7

Mes photos, je les mets entre les pages dans mon livre de légendes. C'est un peu comme si c'était un livre d'images. Il y a la photo de mademoiselle Marthe et la photo de Nem, il y a aussi ma photo collée sur ma carte d'identité. Le livre est bien en évidence sur mon étagère. J'ai eu l'idée de clouer l'enseigne de l'Ermitage au-dessus de la porte de ma chambre. Je l'ai clouée à l'intérieur pour qu'on ne la voie pas du couloir et pour que je la voie depuis mon lit. Quand je regarde la porte de ma chambre, c'est comme si je regardais la porte de l'Ermitage.

Le brocanteur est le seul habitant de la place des Gardes. Ce n'est pas une aussi belle place que Nem le prétend. Les façades des anciens bâtiments administratifs sont crépies, mais le crépi est décoloré et craquelé de partout, il y a même des traînées noires à cause des gouttières cassées. Les anciens bâtiments administratifs de Oat ne sont pas imposants, et la municipalité du port ne les entretient plus maintenant qu'ils sont fermés. Il n'y a qu'une seule maison de caractère sur la place des Gardes, c'est l'ancienne mairie. Maintenant c'est la maison du brocanteur. L'ancienne mairie était beaucoup plus imposante que la nouvelle qui fait partie du bureau des Douanes. Les anciens bâtiments administratifs servent d'entrepôts au brocanteur. Le brocanteur est en affaires avec le continent. Il se fait construire une grande maison sur le continent pour y finir ses jours. Il dit qu'il n'y aura bientôt plus rien à acheter à Oat.

Le brocanteur m'invite souvent chez lui. Je sais pourquoi il est si gentil avec moi. Nem avait raison, le brocanteur veut m'acheter mon enseigne de l'Ermitage. Il espère l'obtenir contre des bijoux anciens qu'il garde dans un coffret et qu'il me montre à chaque fois que je viens le voir. Il dit que ce sont des bijoux de valeur d'une origine inconnue. Il dit que le coffret contre l'enseigne, c'est un bon marché. A chaque fois que je viens, il ouvre le coffret et j'admire les bijoux. Le coffret m'attire, sinon je ne viendrais pas voir si souvent le brocanteur avec tout le fatras qu'il y a dans sa maison. C'est des bijoux avec des pierres bleues. Il y a plusieurs sortes de bijoux. Le brocanteur a voulu que je les essaie. C'est la première fois que j'essaie des bijoux. Je n'ai pas voulu me regarder dans le miroir avec les bijoux sur moi de peur de ne plus pouvoir les enlever. Le brocanteur essaie par tous les moyens de me tenter. Il dit qu'avec les bijoux j'aurai tout ce que je veux. Mais je ne veux pas vendre mon enseigne, alors je ne veux pas me laisser tenter.

Maintenant quand je vais chez le brocanteur, je n'essaie plus les bijoux. Je me contente de les admirer dans le coffret. Les pierres des bijoux sont bleues comme la mer et comme les yeux de Yem, le jeune pêcheur que j'ai rencontré le premier jour. Je n'ai plus revu Yem. Pourtant je suis souvent retournée m'asseoir sur le ponton. La Reine des fées n'était jamais à quai. Un pêcheur m'a dit que Yem était parti avec son patron pour un long voyage à Ot. Ot, c'est une île très loin de Oat. Yem ne m'avait pas parlé de ce voyage. Je préfère ne plus revenir m'asseoir sur le ponton pour ne plus penser à la Reine des Fées, ni à Yem.

Je n'oublie jamais de rendre visite à Mélie le jeudi. Mélie voudrait connaître mademoiselle Marthe dont je lui parle si souvent. Mais mademoiselle Marthe refuse toutes les invitations de Mélie. Elle a beau avoir grandi dans le quartier des Charmes, elle ne veut plus y revenir. Elle m'a même demandé ce qui m'attire tant chez Mélie. Je ne lui demande pas ce qui l'attire tant au Continental après minuit. Entre mademoiselle Marthe et moi, il y a un point de désaccord, c'est le quartier des Charmes. Heureusement qu'on partage le même goût pour les goûters dansants du Continental.

Mélie a fini par renoncer à l'espoir de recevoir mademoiselle Marthe. Elle se contente de ma visite. En mon honneur, elle a remis son salon dans l'état où il était autrefois quand elle recevait tous ses invités. Elle a enlevé les housses des meubles. Elle a voulu remonter la pendule. Mais la pendule ne marche plus, le mécanisme est cassé. Et il n'y a plus un seul horloger à Oat.

Mélie a racheté au brocanteur le phono et les vieux disques qu'elle lui avait vendus pour presque rien. Elle s'est mise en colère parce qu'elle les lui a payés plus cher qu'elle ne les lui avait vendus. Mais le brocanteur lui a fait cadeau d'une aiguille neuve pour son phono. Mélie est contente de ne plus entendre craquer les disques. Finalement elle ne regrette pas d'avoir racheté son phono. Elle l'avait vendu parce que c'était trop triste d'écouter le phono toute seule. Maintenant elle reprend goût à la musique, elle dit qu'avec moi elle réentend tous les airs de sa vie. Elle m'offre toujours les mêmes liqueurs avec des biscuits un peu rassis faits exprès pour tremper dans les liqueurs. Les liqueurs ne me font plus tourner la tête. L'alcool doit s'évaporer. Mélie ne sait plus refermer les flacons. Elle ne boit rien, elle dit que les liqueurs, ce n'est plus de son âge. Son plaisir, c'est de me regarder goûter. Elle trouve que je lui ressemble quand elle avait mon âge. Mélie a aussi remis à l'endroit le grand tableau qu'elle avait retourné. C'est le portrait d'une jeune fille. Les couleurs sont un peu passées, mais le portrait est bien dessiné. Il n'y a pas de signature sur le tableau. Mélie dit que c'est le portrait de Rose. Pourtant la jeune fille du portrait ne ressemble pas à la photo de Rose qui est dans la chambre 3. Mélie dit que c'est grâce à Rose que sa maison du passage des Charmes a eu autrefois si bonne réputation. Le salon n'est plus le même depuis que le tableau a été remis à l'endroit.

Je me suis attachée à Mélie. Ses mains tremblent un peu plus chaque semaine. A chaque fois, je lui parle de

Rose. Maintenant Mélie me dit que toutes les pensionnaires de la chambre 3 se sont appelées Rose. Alors de quelle Rose est-ce que je veux qu'elle me parle ? Mélie les confond toutes. Pour me consoler de ne pouvoir me parler de Rose comme je le voudrais, elle a ouvert la malle de la chambre 3. C'est une malle pleine de robes. Mélie dit que c'est toutes les robes de Rose. Elle en a choisi une, et elle me l'a donnée. C'est une robe de mousseline blanche. Mélie m'a donné les escarpins qui vont avec, et un châle pour mettre sur la robe qui est très décolletée. La jupe a beaucoup d'ampleur avec tous les petits godets qu'il y a. La couturière qui a fait cette robe a eu de l'habileté et de la patience pour coudre tous ces petits godets. C'est cousu si fin qu'on ne voit pas les coutures. J'ai embrassé Mélie de m'avoir fait un si joli cadeau. Grâce à Mélie, j'ai une deuxième robe pour aller aux goûters dansants du Continental.

Mademoiselle Marthe a trouvé que j'était démodée dans ma robe de mousseline blanche et que ce n'est pas une robe de mon âge. C'est une robe juste à ma taille et légère à porter. J'ai dit à mademoiselle Marthe que la mousseline c'est plus seyant que le velours et que le blanc me va mieux au teint que le rouge. Je tiens tête à mademoiselle Marthe. Ça ne lui plaît pas que j'aie changé de robe et que je préfère la robe de mousseline blanche à la robe de velours rouge. Je ne vais toujours pas porter la même robe rien que pour faire plaisir à mademoiselle Marthe.

Pim aime beaucoup ma nouvelle robe. Il trouve que ça me donne un genre spécial et que je ne ressemble à personne. La mousseline, c'est plus facile à relever que le velours, surtout que ma robe en velours est un peu serrée et qu'il faut toujours faire attention qu'elle ne craque pas aux coutures. Avec ma robe de mousseline, il n'y a aucun danger. Je m'entends bien avec Pim. On est plus souvent aux toilettes pour dames que sur la piste de danse. Maintenant même entre les entractes il nous arrive de descendre aux toilettes. Les deux cabinets sont toujours libres entre les entractes. On peut choisir celui qu'on veut. Mais il n'y a pas de différence entre les deux cabinets des toilettes pour dames du Continental.

Pim est triste. Il va changer de bateau et il ne reviendra plus à Oat. Il voudrait bien refuser, mais il ne peut pas. Il doit faire ses preuves comme élève-officier. C'est pour faire ses preuves qu'il part faire le tour du monde. Notre dernier dimanche a été notre meilleur dimanche, même si Pim était triste. Après le goûter dansant, j'ai raccompagné Pim jusqu'à son bateau. C'est la première fois que je le raccompagne au lieu de faire la promenade sur le boulevard du port avec mademoiselle Marthe. Dimanche prochain, Pim sera loin de Oat. J'aurais bien voulu monter sur le bateau de Pim pour lui dire adieu sur le pont. Mais c'est un bateau interdit aux dames et aux demoiselles. C'est un grand bateau. Pim m'a regardée très longtemps depuis le pont et moi depuis le quai. J'en avais mal aux jambes de rester si longtemps debout sans bouger à le regarder autant qu'il me regardait. Mais je ne voulais pas partir tant qu'il était sur le pont. Il aurait été encore plus triste si j'étais partie. On est restés à se regarder, lui depuis le pont et moi depuis le quai, jusqu'à ce que la nuit tombe. Alors on ne s'est plus vus.

Je vais regretter Pim, mais je ne suis pas vraiment triste. Mademoiselle Marthe dit que les danseurs du Continental ne sont pas irremplaçables. Elle a peut-être raison. Et puis toujours les toilettes, c'était exigu et inconfortable. J'en avais des crampes d'être toujours à genoux sur le rebord de la cuvette sans jamais pouvoir changer de position. Si on restait un peu trop longtemps comme ça nous arrivait de plus en plus souvent ces derniers dimanches, il y avait des coups frappés à la porte. Il fallait sortir en toute hâte pour ne pas énerver les impatients qui attendaient leur tour. Deux cabinets, c'est insuffisant. En plus, la cuvette était fêlée. J'avais toujours peur qu'elle se casse si je bougeais un peu trop fort. La chasse d'eau commençait à fuir. J'avais des gouttes d'eau qui me tombaient dans le cou et qui me dégoulinaient dans le dos en mouillant ma robe de mousseline blanche. Pim n'était pas sensible à tous ces détails matériels. Les toilettes pour dames du Continental restaient pour lui ce qu'il y a de mieux. Mais moi, j'étais de plus en plus sensible à ces détails qui allaient finir par me gâcher le plaisir que j'avais d'être avec Pim. A mon avis les toilettes du Continental sont surfaites.

Les derniers dimanches, mademoiselle Marthe ne

descendait plus aux toilettes. Elle refusait même des danses. Quand je lui ai dit que Pim ne reviendrait plus et que je n'avais pas envie de retourner aux goûters dansants sans Pim, elle a eu l'air soulagée. Elle se faisait un devoir de m'accompagner parce que je suis mineure. Mais elle préfère maintenant profiter de son dimanche pour se reposer et récupérer tout le sommeil qui lui manque. Les après-minuit au Continental lui ont fait perdre peu à peu le goût des après-midi. Je peux comprendre, parce que même si je ne connais pas les après-minuit j'ai fini moi aussi par perdre le goût des après-midi. Il a suffi que Pim parte faire le tour du monde pour que je n'aie plus envie d'aller aux goûters dansants du Continental.

Je suis inquiète pour Mélie. Elle décline vite tout à coup. Elle tremble de plus en plus. Elle laisse tout en désordre dans son salon. D'un jeudi à l'autre, elle ne nettoie même plus les petits verres de liqueurs. Elle a cassé les flacons. Ça sent les liqueurs partout. Sa cataracte s'aggrave. Le voile devant ses yeux ne disparaît plus quand elle s'approche tout près des lampes. Les lampes brûlent pour rien. Mélie est trop faible pour s'occuper de Nem. C'est moi qui m'occupe de Nem et de sa maison à la place de Mélie. Je voudrais bien venir habiter chez Mélie, mais je ne peux pas abandonner Nem qui décline aussi vite que Mélie. Depuis que Mélie ne s'occupe plus de lui, il la croit morte. Il perd la tête. Il confond Mélie avec sa servante morte. Il pleure la mort de sa servante. Il a demandé au brocanteur de venir vider sa chambre. Le brocanteur a emporté la caisse de gros livres. Nem dit que la mémoire lui revient et qu'il est en train d'oublier le temps. Les promenades en barque sur la lagune ne lui font pas que du bien. Il n'arrête pas de tousser. Ça m'empêche de dormir. Nem dit qu'il aurait dû chercher Rose au lieu de venir habiter la maison qu'elle n'habite plus. On dirait qu'il ne sait plus qui je suis. Maintenant il ne me prend plus pour Rose, mais alors il ne me prend plus pour personne. Il a oublié mon nom. Mélie, c'est seulement le nom de sa servante qu'il pleure parce qu'elle est morte. Il dit qu'il n'est peut-être pas trop tard pour chercher Rose.

L'employée de l'état civil est partie vivre sur le continent. C'est moi qui la remplace dans le petit bureau vitré. Tant que je n'ai pas passé mon certificat, je ne suis qu'auxiliaire. La date du certificat approche. Je suis prête. Je n'ai que des décès à enregistrer au bureau de l'état civil. C'est toujours des très vieux qui meurent. Il n'y a pas de naissance ni de mariage. Mademoiselle Marthe espère un changement pour bientôt. Les élections approchent. Mademoiselle Marthe a fait coller de grandes affiches partout sur le boulevard, elle a envoyé des enveloppes-surprises aux habitants. Comme prévu, le maire ne se représente pas. Mademoiselle Marthe est sûre d'être élue puisqu'elle est la seule candidate. Elle prend un air important. Je la vois en coup de vent. Le repeuplement de Oat est le grand axe de sa campagne électorale. Elle dit qu'une fois maire elle aura tous les pouvoirs et elle pourra réaliser tous ses projets. C'est une femme d'action. Elle accuse le maire. Quand il est parti vivre sur le continent, il a donné le mauvais exemple. Il avait de l'ascendant sur la population de Oat. Tous les habitants actifs ont voulu faire comme lui. Mademoiselle Marthe veut croire que le dépeuplement n'est pas irréversible. Mélie dit que c'est irréversible. Le port a beau avoir été reconstruit en bordure de mer, il périclite. Mélie dit que c'est à cause du manque de ressources, et qu'il n'y a rien à faire contre le manque de ressources.

Je vais voir Mélie chaque jour, et plus seulement le jeudi. Mélie vient de m'annoncer que l'heure est venue pour elle de quitter le passage des Charmes. Elle m'a donné le grand tableau accroché dans son salon. Elle a voulu que je l'emballe bien parce qu'elle dit que c'est un tableau très fragile. Je l'ai emporté dans ma chambre, mais ma chambre est trop petite pour un si grand tableau. Alors je l'ai laissé emballé, et je l'ai posé contre le mur. Je suis très touchée que Mélie m'ait donné son tableau. C'est ce qui avait le plus de valeur à ses yeux. Elle a appelé le brocanteur, et elle lui a dit que maintenant il pouvait vider toute la maison. Le brocanteur attend ce jour depuis longtemps. Mélie a décidé de finir ses jours à l'hôpital. Elle dit que l'hôpital a très bonne réputation. C'est une fondation du continent pour les habitants de Oat. Mélie dit que pour la première fois elle aura vue sur la mer. Elle a de quoi payer l'hôpital avec l'argent que le brocanteur lui a donné en échange de tout ce qu'il a emporté. J'ai eu du chagrin de voir Mélie partir à l'hôpital et de voir le brocanteur vider la maison. Mélie n'a pas de chagrin de partir. A l'hôpital, elle dit qu'elle aura de la compagnie. Elle a demandé d'être dans la salle commune et pas dans une chambre particulière.

Je n'ai pas pris de photo de Mélie. A chaque fois que j'allais la voir, j'avais mon sac avec mon polaroïd, et à chaque fois j'ai oublié de la photographier. A l'hôpital, on m'a dit que je dois attendre pour les visites que Mélie se soit habituée à sa nouvelle vie. Alors j'ai photographié l'hôpital du côté de la mer avec toutes les baies vitrées. J'ai mis une croix sur la photo. La croix correspond à la baie vitrée devant laquelle le lit de Mélie est installé. C'est l'infirmière qui s'occupe d'elle et qui me donne de ses nouvelles qui m'a dit que c'était cette baie vitrée-là. Au dos de la photo, j'ai écrit : *L'hôpital où Mélie a voulu finir ses jours couchée dans son lit devant la baie vitrée face à la mer.* On ne dirait pas un hôpital, on dirait la photo d'une villa au bord de la mer.

En sortant de l'hôpital, j'ai vu écrit : Dispensaire sur une porte du rez-de-chaussée. Je me suis rappelée tout à coup la visite médicale. J'avais complètement oublié d'y aller. On m'a trouvé en bonne santé. J'ai juste mes règles pour la visite médicale. On m'a remis une brochure d'information sur le cycle et la fécondité. La brochure n'est pas signée. Ce n'est pas rédigé par mademoiselle Marthe, ce n'est pas du tout rédigé dans son style.

J'ai passé mon certificat avec la mention très bien. Il paraît même que je suis la première de toutes les candidates avec le maximum de points. Mademoiselle Marthe a été élue maire de Oat. Elle occupe le bureau du maire qui était fermé jusqu'à maintenant. J'ai du mal à la reconnaître depuis que je ne vais plus au Continental avec elle. Elle prend des poses maintenant qu'elle est maire. Elle m'a nommée employée de l'état civil et secrétaire de la mairie. Je cumule les deux fonctions. Il y a réduction de personnel. Avant d'être titulaire, je suis stagiaire. Il faut que je fasse mes preuves. Je n'ai pas encore l'âge d'être titulaire. Je touche un vrai salaire depuis que j'ai le certificat.

8

L'arbre de la cour de Nem a refleuri. C'est le jour de mon anniversaire. J'ai treize ans. Ça fait un an que Rose est morte et que j'ai quitté l'Ermitage. Nem ne sait pas qu'aujourd'hui c'est mon anniversaire, il ne sait pas que j'ai treize ans. Il ne sait rien de moi. Il est assis à son balcon pour mieux voir les fleurs roses de l'arbre qui sont juste à sa hauteur depuis son balcon. Il est étonné que l'arbre ait refleuri. Il croyait que l'arbre ne refleurirait pas parce qu'il est très vieux.

Mélie s'est bien habituée à l'hôpital. Je vais la voir tous les jeudis maintenant. Elle attend ma visite, mais elle ne me reconnaît plus. Elle m'appelle Rose. Elle est dans une salle avec d'autres très vieilles femmes comme elle. Son lit est face à la mer. Mélie passe la fin de sa vie à regarder la mer. Elle dit qu'elle y voit encore assez, mais que chaque jour la mer est un peu moins bleue. Elle ne souffre pas. Elle ne doit presque plus sentir son corps tellement elle est faible. Ses longs cheveux blancs sont défaits. Elle ne met plus jamais son bonnet. Quand je vais la voir, je lui peigne longtemps les cheveux. C'est ce qui lui fait le plus plaisir. Je n'aime pas l'hôpital. Tout y est blanc et bleu. Mélie porte une chemise de nuit bleue et ses draps sont d'un blanc immaculé.

Depuis qu'elle a été élue maire, mademoiselle Marthe a promulgué beaucoup de décrets. Mais ses décrets restent lettre morte. Oat continue de se dépeupler. Mélie a raison de dire que c'est irréversible. La mairie est presque toujours déserte. Mademoiselle Marthe est très affectée par son échec. Elle dit que maire c'est un titre vide. Elle se rapproche de moi. Les affaires importantes se traitent sur le continent. C'est comme si Oat n'avait pas de maire. Mademoiselle Marthe est mise à l'écart de tout. Elle n'a aucun rôle à jouer. L'après-midi, elle m'invite à goûter dans son logement de fonction. Elle a besoin de parler. Elle dit que je fais beaucoup plus que mon âge et que j'ai beaucoup mûri en un an. Elle me fait des confidences. Elle dit qu'elle est désenchantée de tout et pas seulement de la mairie. Les après-minuit au Continental aussi sont un échec. Mademoiselle Marthe s'y est donnée complètement, mais elle n'a pas obtenu ce qu'elle espérait. Le club n'est plus ce qu'il était. Il perd tous ses membres au profit d'un nouveau club déjà renommé qui s'est ouvert récemment sur le continent : l'Ile Bleue. Mademoiselle Marthe rêve de l'Ile Bleue. Elle dit qu'il n'y a plus rien à attendre du Continental qui se laisse écraser par le Bastringue. Le triomphe du Bastringue sur le Continental accable mademoiselle Marthe.

Pour la première fois, mademoiselle Marthe est tentée

par le continent. Elle dit qu'à l'Ile Bleue tout peut recommencer. Elle n'aura plus la responsabilité de la mairie de Oat si elle va vivre sur le continent. Elle sait maintenant que c'est impossible d'être maire de Oat parce que Oat n'est pas administrable. Elle dit que le maire a eu raison de partir. Elle le comprend trop tard. Elle se reproche d'avoir manqué de jugement et d'expérience. Elle dit que c'est d'avoir grandi dans le quartier des Charmes qui lui a donné une fausse vision de Oat. Elle est bouleversée par tout ce qu'elle découvre en même temps. On lui propose le poste de directrice de l'Ile Bleue. C'est inespéré pour elle de pouvoir enfin se consacrer à une seule tâche. Elle dit qu'elle ne veut plus vivre une double vie partagée entre la mairie de Oat et le Continental. Les doubles vies, ça finit toujours mal. Le Continental ne va pas tarder à fermer. La concurrence du Bastringue est trop forte pour lui. C'est pour mademoiselle Marthe une raison supplémentaire de partir, même si elle dit qu'elle n'a pas encore pris sa décision.

Le Bastringue n'est pas interdit aux mineures et les mineures n'ont même pas besoin d'être accompagnées quand elles vont aux goûters dansants du dimanche après-midi. Mademoiselle Marthe me l'avait caché pour que j'aille toujours avec elle au Continental. Je m'ennuie le dimanche depuis que Pim est parti. Il y a beaucoup de monde le dimanche après-midi sur la terrasse du Bastringue. Pourquoi est-ce que je n'irais pas moi aussi aux goûters dansants du Bastringue ? La semaine à la mairie et le dimanche dans la maison de Nem, ce n'est pas une vie. Nem n'est jamais là depuis que le brocanteur a vidé sa chambre. Il est toujours dans sa barque sur la lagune. Il tourne avec sa barque autour du grand bateau rouillé. La coque a presque complètement disparu dans la lagune. L'arbre de la cour a perdu ses fleurs en une seule journée. C'était une journée de grand vent et de pluie. Les fleurs se sont fanées dès qu'elles sont tombées.

C'est dimanche et je vais au Bastringue pour la première fois. Tant pis si mademoiselle Marthe l'apprend et si elle est fâchée. De toute façon elle n'a plus que l'Ile Bleue à la tête. J'ai mis ma robe de velours rouge avec le boléro comme la première fois où j'ai été au Continental avec mademoiselle Marthe. Ma robe rouge m'a porté chance une fois, peut-être qu'elle me portera chance deux fois. Au Bastringue, la dame du vestiaire m'a fait entrer dans un petit salon. Il donne sur la terrasse, mais il en est séparé par une vitre. De l'autre côté de la vitre, les danseurs vont et viennent, sûrement pour me regarder parce que je suis nouvelle au Bastringue. Je suis assise sur une chaise. Je suis bien visible dans ma robe de velours rouge. Je me sens un peu étourdie. Il y a un escalier qui monte. Celui du Continental descendait. L'orchestre joue très fort. Il y a beaucoup de monde qui monte par l'escalier. Je ne vois pas de panneau en bas de l'escalier. Rien n'est indiqué, il faut connaître.

J'étais toujours assise sur la chaise dans le petit salon quand tout à coup j'ai vu entrer le chauffeur du camion. Il m'a vue en même temps que je l'ai vu. Il a eu l'air surpris et fâché de me rencontrer là. Il m'a demandé ce que je fais au Bastringue comme si ce n'était pas un endroit pour moi. Je lui ai dit tout de suite que c'est mon premier dimanche au Bastringue. Avant, j'allais au Continental avec mademoiselle Marthe. J'ai aussi dit au chauffeur que depuis que je suis entrée au Bastringue je n'ai pas bougé du petit salon, je n'ai pas profité de la terrasse, je ne suis même pas montée par l'escalier. Le chauffeur m'a regardée plus gentiment. Il n'a plus l'air fâché. Il m'a entraînée vers la sortie.

Devant le Bastringue, bien garé sur le boulevard, il y a le camion jaune toujours aussi bien astiqué. Le chauffeur m'a dit de monter. Il m'emmène faire une promenade. On a remonté le boulevard, on a pris une piste qui longe la mer d'un côté et la lagune de l'autre. On a traversé le chenal. Je comprends que le chenal ne soit plus navigable avec tous ses bancs de sable. Après le chenal, on a roulé au milieu des dunes. Le chauffeur a arrêté son camion au pied d'une dune face à la mer à l'entrée d'une plage de sable. Il a appuyé sur le bouton du fauteuil qui s'est incliné doucement jusqu'à devenir couchette. Ça m'a rappelé des souvenirs. Le chauffeur a dit que j'avais changé, je fais vraiment jeune fille maintenant. Il dit qu'il est content de me revoir. Moi aussi je suis contente de me retrouver sur la couchette du camion. On voit encore la tache de sang, mais elle s'est beaucoup éclaircie parce que le chauffeur a dû beaucoup la frotter. Plus vite que la première fois, le chauffeur a enlevé ma robe, mon boléro et ma culotte. J'ai encore mes règles. Ça n'a pas l'air de gêner le chauffeur du camion. Il me caresse partout comme la première fois. Le soleil entre par la fenêtre de la cabine. La première fois il faisait nuit et il y avait seulement la veilleuse. Ça change tout. Le chauffeur s'est rappelé qu'il m'avait eue vierge. Il a dit que je lui plais beaucoup plus maintenant. Je lui ai raconté tout ce qui s'est passé avec Pim dans les toilettes du Continental. Je ne veux rien cacher au chauffeur du camion. Ça a l'air de lui plaire que je lui raconte tout comment ça s'est passé dans les cabinets avec Pim. Il a arrêté de me caresser, et il m'a prise d'un seul coup très fort. Il a dit que la couchette du camion c'est plus confortable que les toilettes du Continental. J'ai approuvé. Il a dit que j'étais faite pour la couchette de son camion. Je n'ai pas répondu. Il m'a fait promettre de ne plus jamais retourner au Bastringue. Il dit que le Bastringue ce n'est pas pour moi. J'ai compris qu'il tient beaucoup à ce que je fasse cette promesse. Alors j'ai promis. Je ne veux pas gâcher ce dimanche après-midi au bord de la mer avec le chauffeur du camion. Je ne sais pas ce que le Bastringue a de si terrible pour que mademoiselle Marthe et maintenant le chauffeur du camion ne veuillent pas que j'y aille danser.

On est sortis de la cabine. La plage est pleine de mouettes. Le chauffeur m'a dit qu'elle s'appelle la plage aux Mouettes. Elle porte bien son nom. C'est la seule plage de Oat. On n'en voit pas la fin. J'ai envie de marcher longtemps sans parler sur la plage avec le chauffeur du camion. Mais lui, il a envie de parler. Il n'est pas sensible comme moi à la plage aux Mouettes. Il dit que demain il part pour le continent définitivement. C'est son dernier jour à Oat. Il a fermé sa scierie qui ne lui rapportait plus rien, mais qui lui mangeait ses économies. Grâce à son camion, il a trouvé une bonne place comme transporteur de bois pour une grande scierie du continent. Plus tard, il s'achètera une scierie à lui sur le continent et il travaillera à son compte. Il veut commencer une autre vie. Il dit qu'il n'y a pas d'avenir pour moi à Oat. Il me demande de partir avec lui sur le continent. Il répète que je lui plais beaucoup et qu'il veut vivre avec moi sur le continent dans son camion, et plus tard dans sa scierie. J'ai dit la vérité au chauffeur. J'aime beaucoup son camion, mais ne j'ai pas envie d'aller vivre sur le continent. Je ne peux pas abandonner Mélie qui attend ma visite tous les jeudis à l'hôpital, je ne peux pas non plus abandonner Nem même s'il ne fait pas attention à moi. Et je ne veux pas quitter Oat. Le chauffeur du camion ne m'a pas comprise. Il dit que je le déçois beaucoup, à quoi ça sert d'être première au certificat si c'est pour finir secrétaire à la mairie de Oat. Ce n'est pas ainsi que je lui suis apparue la première fois sur la piste. Il croyait que j'irai loin et je ne veux pas aller plus loin que Oat. Il y a du reproche dans sa voix. Il m'a quand même donné son adresse sur le continent à la scierie où il va charger le bois, pour le cas où je changerais d'avis. Il dit que je suis perdue si je ne change pas d'avis. Il croit qu'il me connaît parce qu'on a été ensemble sur la couchette de son camion. Je n'ai plus rien à lui dire. La promenade sur la plage s'est arrêtée là. C'est une promenade gâchée. Tout mon après-midi est gâché.

Quand on est remontés dans la cabine du camion, le chauffeur avait beau être fâché, il a quand même voulu appuyer sur le bouton du fauteuil pour qu'il redevienne couchette une dernière fois. Je l'en ai empêché. Le chauffeur du camion est un étranger pour moi maintenant qu'il part sur le continent. Je ne veux plus qu'il me touche. Il y a une tache de sang frais sur la housse du fauteuil et une tache aussi sur ma robe. Mais le rouge sur le rouge, ça ne se remarque pas. J'ai bien fait de mettre ma robe en velours rouge même si elle ne m'a pas porté chance une deuxième fois. Le chauffeur a démarré, et il a appuyé à fond sur l'accélérateur jusqu'à ce qu'on soit arrivés à Oat. Quand on s'est quittés, je lui ai souhaité bonne chance. Il ne m'a rien souhaité du tout. Il ne m'a même pas regardée une dernière fois. Il me désapprouve complètement sur tout. Quand le camion jaune a disparu au bout du boulevard, j'ai laissé s'envoler l'adresse que le chauffeur m'a donnée. Je l'ai regardée s'envoler au-dessus de la mer. Je ne veux pas garder l'adresse du continent.

J'ai redescendu le boulevard jusqu'au port de pêche.

Je ne reverrai plus le camion jaune. Je me suis assise sur le ponton. La Reine des Fées n'est toujours pas de retour. Yem est parti depuis longtemps maintenant. Je n'ai pas envie de rentrer dans la maison de Nem. J'ai tout à coup eu envie de retourner chez Mélie. Je n'y suis plus jamais retournée depuis qu'elle est à l'hôpital. J'ai la clé puisque la clé qui ouvre la maison de Nem ouvre la maison de Mélie. Il fait sombre dans la maison de Mélie maintenant que le brocanteur a emporté toutes les lampes. Les chambres sont vides. C'est plus clair sur les murs là où il y avait les miroirs. Je suis entrée dans la chambre 3. La nuit est tombée. La pluie aussi s'est mise à tomber. Ce dimanche après-midi avec le chauffeur du camion m'a complètement épuisée. Je me suis couchée à même le sol et je me suis endormie. J'ai entendu qu'on appelait Mélie très fort. Ça résonnait de chambre en chambre. Ça a même fini par me réveiller. Il fait déjà jour. Mais il n'y a personne dans la maison de Mélie, sauf moi. C'est dans mon rêve qu'on a appelé Mélie très fort. J'ai passé toute la nuit dans la chambre de Rose dans la maison de Mélie. C'est la première nuit que je ne passe pas dans la maison de Nem depuis que je suis à Oat.

Nem n'est pas dans sa chambre. Il n'est nulle part dans sa maison. Il doit déjà être dans sa barque sur la lagune. Il y va de plus en plus tôt. Je suis allée rue des Bornes. La barque de Nem est amarrée juste devant la maison. Ce n'est pas dans ses habitudes. D'habitude il est toujours dans sa barque sur la lagune. Je suis entrée dans la maison et je suis montée à la chambre. Nem est couché sur le lit à côté de la mariée. Le marié a disparu. J'ai réveillé Nem. Il a fait comme s'il ne me connaissait pas. Il m'a demandé ce que je venais faire dans la maison de Rose. Il dit qu'ici c'est la maison de Rose. Il a l'air à bout de forces, mais content. Il dit que maintenant il n'a plus besoin de rien. Il veut finir sa vie dans la maison de Rose. La maison de la rue des Charmes, il dit que c'est fini pour lui. Il m'a demandé de le laisser.

Quand je me suis retrouvée rue des Charmes, j'ai compris que je ne pouvais plus y vivre maintenant que Nem est parti. Alors j'ai décloué l'enseigne de l'Ermitage et je l'ai remise dans mon sac. J'ai pris mon sac et le tableau que m'a donné Mélie, et je suis revenue passage des Charmes. Ce n'est plus chez Mélie maintenant que la maison est vide et que Mélie est à l'hôpital. Je me suis installée dans la chambre 3. Mais je me sens aussi étrangère dans cette maison vide que dans l'ancienne maison de Nem. J'ai repensé à Rose. A quoi est-ce qu'elle pensait en écrivant l'adresse sur la dernière page du livre de légendes ? Au 7 rue des Charmes, c'est inhabité maintenant.

Le soir, je n'arrive pas à m'endormir. Alors je vais jusqu'au port de pêche et je m'asseois sur le ponton. Ce soir, la Reine des Fées est de retour. Alors Yem aussi est de retour. Il n'y a aucune lumière sur le pont ni dans la cabine. Mais le lampadaire placé juste sur le quai devant le bateau l'éclaire presque en entier. C'est toujours le même petit bateau, mais il a été repeint en blanc. Le blanc, ce n'est pas la couleur des bateaux de pêche. Le nom aussi a été repeint en grandes lettres noires brillantes. Je suis restée longtemps assise sur le ponton à regarder la Reine des Fées. Yem n'est pas apparu comme je l'espérais. Alors j'ai remonté le boulevard jusqu'au Bastringue illuminé dans la nuit. Un instant, j'ai eu envie d'y entrer. Mais je me suis rappelée la promesse faite au chauffeur du camion. Une promesse, c'est une promesse. Je ne suis pas entrée au Bastringue, j'ai redescendu le boulevard. Je me suis rassise sur le ponton. J'ai sorti mon polaroïd de mon sac et avec mon polaroïd j'ai photographié la Reine des Fées. C'est une chance qu'il y ait un flash incorporé dans le polaroïd. Le photographe ne m'a pas menti quand il m'a dit que c'est le modèle le plus perfectionné. C'est une très belle photo avec le lampadaire en premier plan qui éclaire la coque toute blanche avec les lettres noires de la Reine des Fées. Au dos de la photo, j'ai écrit : *la Reine des Fées la nuit sur le port, de retour d'un long voyage à Ot*. Les lampadaires du port se sont tous éteints d'un seul coup. Il doit être très tard. Je n'ai pas vu le temps passer. J'ai remonté le boulevard jusqu'au Bastringue, et je l'ai photographié aussi. Sur la photo, on ne voit que des taches de lumière tellement le Bastringue est illuminé. Toutes les fenêtres sont éclairées, il y a des lanternes partout sur la terrasse, et, dominant tout, la grande enseigne au néon vert clignotante : Bastringue, qui attire les marins comme la lumière d'un phare dans la nuit. Au dos de la photo, j'ai écrit en tout petit parce que j'ai beaucoup à écrire : *Le Bastringue illuminé dans la nuit où je n'irai jamais pour tenir la promesse faite au chauffeur du camion sur la plage aux Mouettes la veille de son départ pour le continent.* Après le Bastringue, le Continental est complètement éteint. Il vient de fermer pour une durée indéterminée.

De retour dans ma chambre, la chambre 3, la chambre de Rose, j'ai longtemps regardé mes deux nouvelles photos. Puis je les ai rangées dans mon livre de légendes. Ça me fait du bien d'avoir fait ces deux photos. Mon livre de légendes est toujours fermé maintenant. J'ai voulu relire la Reine des Fées pour fêter son retour. Mais à force de toujours lire le nouvel alphabet je perds l'habitude de lire l'alphabet ancien. Je me suis endormie au milieu de ma lecture.

Mademoiselle Marthe a démissionné de son poste de maire. Elle a accepté d'être la directrice de l'Ile Bleue. Le poste de maire est vacant. J'ai accompagné mademoiselle Marthe à son bateau. Ça m'a rappelé le soir où j'ai raccompagné Pim. C'est la première fois que mademoiselle Marthe monte sur un bateau et qu'elle va sur le continent. Elle s'est faite belle. Elle a mis un tailleur blanc avec des revers bleus. Elle veut faire bonne impression en arrivant à l'Ile Bleue. Elle part pleine d'espoir. Nos adieux ont été brefs. Mademoiselle Marthe est pressée de monter à bord. Elle m'a dit que maintenant je suis capable de me débrouiller seule. J'ai fait mes preuves à la mairie. Mademoiselle Marthe espère que je serai titularisée bientôt. Pour l'instant je suis toujours stagiaire. Mademoiselle Marthe n'a pas voulu que je reste sur le quai à attendre le départ du bateau. Dès qu'elle a été sur le pont, elle a regardé vers le large en direction du continent. Elle m'a donné l'adresse de l'Ile Bleue, mais elle ne m'a pas dit de venir la rejoindre. Sûrement que l'Ile Bleue est interdite aux mineures. Je suis quand même restée sur le quai à regarder mademoiselle Marthe. Quand le bateau a levé l'ancre, j'ai jeté l'adresse de l'Ile Bleue. L'adresse s'est envolée au-dessus de la mer comme celle du chauffeur du camion. Je n'irai jamais sur le continent.

Je suis retournée rue des Bornes pour avoir des nouvelles de Nem. La maison est vide. Nem n'est pas dans la chambre et la mariée n'est plus couchée sur le lit. J'ai retrouvé le marié au fond du débarras là où Nem l'avait caché. Par la fenêtre, j'ai regardé la lagune dans l'espoir d'apercevoir la barque de Nem. Mais il n'y a pas de barque sur la lagune. Et la barque de Nem n'est pas amarrée devant la maison. Nem a dû vouloir faire une dernière promenade. Il a emmené la mariée avec lui. La barque était vieille et pourrie. Elle a dû prendre l'eau. Nem et la mariée ont coulé avec la barque. C'est peut-être ce que voulait Nem, disparaître au fond de la lagune. Le grand bateau rouillé est à moitié englouti. On ne voit plus que le pont arrière. On se demande comment le pont arrière peut rester à flot penché comme il est. Nem a disparu sans me laisser un mot, sans rien me laisser. J'ai couché le marié sur le lit. Le marié est tout seul maintenant.

A la mairie, je n'ai pas enregistré la mort de Nem. D'ailleurs, je ne l'ai pas vu mort. Il a seulement disparu dans la lagune. La mort de Rose non plus n'a pas été enregistrée. Je n'ai plus rien à faire à l'état civil si je n'enregistre pas les décès. La mairie est vide depuis le départ de mademoiselle Marthe. Pas un seul habitant de Oat ne veut être maire. Si j'étais majeure, je me demande si j'aurais eu envie de me présenter pour remplacer mademoiselle Marthe. Je ne crois pas. Je ne suis pas faite pour être maire. De toute façon, à mon âge la question ne se pose pas. Je ne sais pas si je vais garder mon emploi maintenant que mademoiselle Marthe est partie sur le continent. Il paraît qu'il n'y aura plus de maire à Oat. Oat va être rattaché à la Municipalité du continent. Il y aura un représentant du continent à Oat à la place du maire. C'est peut-être ce que souhaitent les derniers habitants de Oat.

Le lit de Mélie est vide. L'infirmière m'a dit que Mélie est morte. Elle est morte le jour où Nem a disparu dans la lagune. J'ai demandé à l'infirmière où est-ce que Mélie a été enterrée. Elle m'a montré le terrain vague là où ce n'est pas inondé. La partie inondée du terrain vague, c'est l'ancien cimetière de Oat. Je n'ai pas enregistré la mort de Mélie non plus. J'ai arraché la dernière page du registre des décès. C'est la seule page qui n'était pas encore remplie. Je ne veux plus m'occuper de l'état civil.

9

J'ai quitté le passage des Charmes. Sans Mélie, la maison est inhabitable. Le brocanteur m'a proposé de venir habiter le logement de mademoiselle Marthe. C'est lui qui fait fonction de maire en attendant qu'un représentant officiel du continent soit nommé à Oat. Le brocanteur m'a nommée employée stagiaire aux écritures selon mes vœux. Il reconnaît mes qualités. J'ai été formée par mademoiselle Marthe. Mon logement me convient. J'occupe la grande pièce ensoleillée avec vue sur la mer. J'ai enfin déballé le tableau de Mélie et je l'ai accroché sur le mur en face de la fenêtre. C'est la première fois que je peux le regarder à la lumière naturelle. Chez Mélie, on ne pouvait le regarder qu'à la lumière des lampes. Le brocanteur est venu me rendre visite pour voir si je suis bien installée dans mon nouveau logement. Il a été très surpris en découvrant le tableau de Mélie. Il ne l'avait encore jamais vu. Il l'a reconnu tout de suite. Il dit que c'est la copie d'un tableau du Musée du continent. Le peintre et le modèle en sont inconnus. Le brocanteur dit que c'est une mauvaise copie qui n'est pas fidèle au tableau. Alors ce n'est pas le portrait de Rose comme Mélie le croyait. Mélie aurait été très déçue d'apprendre que son tableau est la copie d'un tableau du Musée du continent. Je fais confiance au brocanteur. Il s'y connaît en peinture et il connaît bien le Musée du continent. Il va régulièrement sur le continent pour ses affaires et pour surveiller la construction de sa maison. Je ne sais plus quoi penser du tableau de Mélie maintenant que je sais que c'est une copie et même une mauvaise copie. Parfois, quand je me regarde dans le miroir, j'ai l'impression que je ressemble au modèle du tableau. C'est une idée que je me fais. Les miroirs sont trompeurs. A force de regarder le tableau de Mélie et de me regarder dans le miroir, je finis par tout confondre. C'est comme pour les noms. Parfois je ne sais plus qui est Mélie. Mélie, c'est moi. Il ne faut pas que je l'oublie. Heureusement que j'ai ma carte d'identité avec ma photo collée dessus. Il n'y a pas de doute, je m'appelle Mélie. Mais je n'habite plus au 7 rue des Charmes comme mademoiselle Marthe l'a écrit sur ma carte d'identité. J'ai demandé au brocanteur d'écrire ma nouvelle adresse sur ma carte d'identité pour qu'elle soit à jour. Il m'a dit qu'il n'est pas habilité à le faire, mais que de toute façon l'adresse c'est sans importance.

Maintenant que je suis employée aux écritures, les pêcheurs viennent me voir à la mairie. Mon certificat leur en impose. Ils me dictent des lettres pour la Municipalité du continent. Il vient d'y avoir des pluies comme il n'y en avait pas eu à Oat depuis longtemps. Les eaux de la lagune ont monté d'un seul coup et tout le quartier de la lagune où habitent les pêcheurs est inondé. Les pêcheurs sont sans abri. Dans leurs lettres, ils demandent l'autorisation d'habiter les maisons vides du quartier des Charmes qui n'est pas inondé. Les pêcheurs disent qu'ils n'ont jamais vu une inondation pareille. Le terrain vague n'existe plus depuis qu'il est inondé. Le terrain vague, c'est comme la lagune maintenant. L'eau s'arrête juste au bord du chemin qui relie la ville au port. C'est un miracle que le chemin ne soit pas inondable.

Le brocanteur veut toujours échanger mon enseigne de l'Ermitage contre son coffret de bijoux. Il sait pourtant que je ne me séparerai jamais de mon enseigne, même si ça me coûte de renoncer au coffret. C'est exactement les bijoux que j'aimerais porter. Le brocanteur m'a expliqué pourquoi il tient tant à mon enseigne. Autrefois, dans une ruelle du quartier des Charmes juste derrière la place des Gardes, il y avait un magasin de souvenirs avec une enseigne exactement comme la mienne. C'est une enseigne qui ne ressemble pas aux enseignes de Oat. Le brocanteur dit qu'il ne sait pas d'où elle vient, mais il est sûr qu'elle ne vient pas de Oat. C'est en fouillant dans ce magasin de souvenirs qu'il a trouvé le coffret de bijoux et qu'il a eu envie de devenir brocanteur. Et puis un jour le magasin a fermé et l'enseigne a disparu. Depuis, le brocanteur a toujours cherché à retrouver l'enseigne. Et voilà qu'il dit que c'est moi qui serais en sa possession. Je comprends mieux le brocanteur. Il gagne a être connu. Il a fini par comprendre que je ne lui vendrai pas mon enseigne, et il ne m'en veut pas. Je lui ai demandé qui tenait le magasin de souvenirs. Il se rappelle que c'était une très vieille femme, mais il ne se rappelle pas si elle s'appelait Rose ou Mélie. Je n'ai pas recloué l'enseigne de l'Ermitage dans mon nouveau logement. Il ne faut pas mélanger l'ancien et le moderne. Je garde mon enseigne sur ma table de nuit à portée de ma main pour la regarder le soir avant de m'endormir. Je n'ai plus besoin de relire mon livre de légendes. J'ai seulement besoin de lire Magasin de Souvenirs écrit en alphabet ancien sur l'enseigne de l'Ermitage. Le brocanteur ne peut pas tout avoir. Il a racheté toutes les enseignes du quartier des Charmes.

La Reine des Fées n'est jamais à quai quand je vais m'asseoir sur le ponton. Pourtant elle est de retour puisque je l'ai photographiée le soir de son retour. Un pêcheur m'a dit qu'elle rentrait très tard au port après toutes les barques, bien après que je suis couchée. Les eaux de la lagune ont commencé à baisser. Mais le terrain vague reste inondé. La lagune recouvre le terrain vague, elle encercle presque complètement Oat maintenant. La Municipalité du continent a autorisé les pêcheurs à habiter le quartier des Charmes. Les maisons du quartier de la lagune sont toujours inondées. Les pêcheurs ne regrettent pas leurs maisons.

Je viens d'avoir quatorze ans. J'ai l'impression que le temps passe de plus en plus vite. Pour mon anniversaire, j'ai voulu revoir l'arbre en fleurs dans la cour de l'ancienne maison de Nem. Il fleurit juste au moment de mon anniversaire. Mais l'arbre n'a pas fleuri. Il est en train de mourir. Les racines ont dû être noyées avec toute l'eau qui est tombée. L'arbre est très vieux, il n'a pas résisté. La cour fait désolée maintenant que l'arbre est en train de mourir. Dans mon ancienne chambre, il y a toujours le petit lit, le pupitre et l'étagère. C'est la seule pièce qui ne soit pas vide au 7 rue des Charmes.

Le brocanteur ne veut pas savoir que le quartier de la lagune est inondé. Oat, pour lui, c'est seulement la place des Gardes. Le brocanteur a beau dire qu'il n'a plus rien à acheter à Oat et qu'il n'a plus rien à y faire, il ne se décide pas à aller habiter sa maison du continent qui n'est pas terminée de construire. Il ne veut pas rester inactif. Alors il s'est mis à repeindre les façades des anciens bâtiments administratifs de la place des Gardes. La place faisait un triste effet avec ses façades décrépites. C'est une bonne idée que le brocanteur a eu de les repeindre. Il repeint toutes les façades en rose. Il est fier de son ouvrage. Il a installé un banc au milieu de la place et il s'y asseoit pour contempler les façades qu'il vient de repeindre. C'est une bonne surprise quand on arrive sur la place des Gardes repeinte en rose par le brocanteur. On dirait que c'est tout neuf. Le brocanteur m'invite à m'asseoir sur le banc à côté de lui. Il me prend sous sa protection. Il me parle de sa maison du continent. Il dit qu'il l'a meublée avec les plus belles pièces qu'il a achetées à Oat dans les maisons du quartier des Charmes. Il se demande s'il ne va pas faire de sa maison du continent un musée de Oat. C'est drôle, ce goût des musées. Le photographe veut fonder un musée à Oat avec sa collection de vieux appareils photographiques du continent et le brocanteur veut faire de sa maison du continent un musée de Oat.

Le photographe a beaucoup vieilli. Il ne se remet pas que mademoiselle Marthe ait préféré être directrice de l'Ile Bleue plutôt que directrice du musée de Oat. Avant son départ, il lui a proposé d'ouvrir le musée tout de suite sans attendre d'avoir achevé sa collection. Mais mademoiselle Marthe a refusé. Depuis, le photographe est anéanti. Il n'a même plus envie d'achever sa collection ni de fonder un musée à Oat. C'est par le photographe que j'ai des nouvelles de mademoiselle Marthe. Elle lui en donne régulièrement. Les dernières nouvelles sont mauvaises. Le succès de l'Ile Bleue a été éphémère. L'Ile Bleue va fermer. Mademoiselle Marthe a donc échoué dans ses fonctions de directrice de l'Ile Bleue. Sa clientèle s'est peu à peu laissée tenter par le prestige toujours grandissant du Bastringue. Le Bastringue va triompher de l'Ile Bleue comme il a triomphé du Continental. Le photographe dit même que c'est grâce au Bastringue que le port est encore fréquenté. Les bateaux prévoient une escale à Oat rien que pour une soirée au Bastringue. Le photographe dit que mademoiselle Marthe est perdue maintenant. Il ne supporte plus la vue de ses appareils photographiques. Il les a rangés dans des caisses. Je vais le voir régulièrement pour lui tenir compagnie. Je n'oublie pas qu'il m'a fait cadeau du polaroïd. Le brocanteur lui a proposé de vendre sa collection au Musée du continent. Il dit que même inachevée c'est une belle collection. Mademoiselle Marthe a eu tort de la déprécier. Le photographe a accepté de vendre sa collection. Il fait confiance au brocanteur. Il dit qu'il a fait sa collection pour rien. Il a un nouveau projet. Il veut qu'il n'y ait plus de rue des Cigognes à Oat. Alors il va faire démolir sa maison. Il dit que la rue des Cigognes n'aurait jamais dû être au centre du quartier des Charmes. C'est une erreur de conception. Le brocanteur a invité le photographe à venir habiter sa maison qui est trop grande pour lui. Le photographe a accepté la proposition du brocanteur. Il dit qu'il est sensible à la place des Gardes maintenant que le brocanteur l'a repeinte en rose. On ne dirait pas qu'il y a eu autrefois les bâtiments administratifs de Oat sur la place des Gardes. Les maisons roses ne font pas penser aux bâtiments administratifs. C'est comme si Oat avait tout à coup une nouvelle place. Le photographe dit que le brocanteur aurait dû être peintre et lui architecte, il dit qu'ils ont raté leur vocation. Il a engagé deux maçons pour démolir sa maison. J'ai photographié la maison du photographe avant que les deux maçons ne commencent à la démolir. La maison est juste au centre de la photo. Au dos de la photo, j'ai écrit : *1 rue des Cigognes au centre du quartier des Charmes la maison du photographe avant sa démolition*.

Le patron de la Reine des Fées est assis sur le ponton. Mais la Reine des Fées n'est toujours pas à quai. Je n'ai pas pu résister à l'envie de lui demander des nouvelles de Yem. Il ne demande pas mieux que de parler de Yem. Il veut que je l'appelle par son nom, Cob. Cob, ce n'est pas un nom d'ici, c'est un nom originaire de Ot. Les ancêtres de Cob sont originaires de Ot. Depuis qu'il est revenu de son long voyage, Cob dit qu'il a des vertiges dès qu'il reprend la mer. Alors Yem va pêcher seul et s'occupe de la Reine des Fées à la place de Cob. Cob dit que maintenant Yem est un meilleur marin que lui. C'est pendant le long voyage à Ot que Yem est devenu un vrai marin. Cob avait toujours rêvé de faire ce voyage. Mais, avec son petit bateau, il hésitait. Il ne regrette pas d'être allé jusqu'à Ot même s'il en est revenu avec des vertiges. Il sait désormais que la Reine des Fées n'est pas un bateau comme les autres. L'ancien propriétaire de la Reine des Fées le lui avait bien dit quand il la lui avait vendue, mais Cob ne l'avait pas vraiment cru. Cob n'a jamais revu l'ancien propriétaire de la Reine des Fées. C'était un étranger. Il est reparti juste après la vente. Cob a maintenant la preuve qu'il ne lui mentait pas quand il lui parlait des qualités particulières de la Reine des Fées. Pendant le voyage, la Reine des Fées a essuyé beaucoup de tempêtes et toujours sans dommages. Cob et Yem ont fait de bonnes pêches. Ils ont gagné beaucoup d'argent. Avant de rentrer à Oat, Cob a fait repeindre en blanc la Reine des Fées pour qu'elle ne ressemble plus à un bateau de pêche, même si c'est toujours un bateau de pêche.

Cob a encore plus envie de me raconter ce qui se passe maintenant. Il dit que Yem est en train de faire ce qu'aucun pêcheur de Oat n'a jamais fait. Yem n'a pas voulu retourner pêcher là où vont les pêcheurs de Oat. Il a décidé d'aller pêcher seul sur la côte nord au milieu de tous les récifs. Cob a voulu retenir Yem parce que la côte nord de Oat a sinistre réputation parmi les marins. Mais Yem n'a rien voulu entendre. Cob pense que si Yem est si intrépide, c'est à cause de la Reine des Fées. Yem en fait ce qu'il veut. Et il a réussi son pari. Chaque soir après minuit, il rentre au port, ses caisses pleines de gros et beaux poissons. Dès l'aube, il repart pêcher sur la côte nord. Et chaque soir après minuit, Cob attend Yem sur le ponton. Yem lui remet sa pêche. Le matin, Cob fait l'admiration et l'envie de tous les pêcheurs de Oat en allant au marché vendre la pêche de Yem. Cob dit que Yem est à l'abri des dangers parce que la Reine des Fées est plus forte que la mer et ses récifs. Il se demande ce qu'il va s'acheter avec tout l'argent qu'il gagne en vendant la pêche de Yem. Il n'a jamais eu autant d'argent. Il ne pense pas qu'il aurait été intrépide comme Yem s'il avait son âge, mais il pense que si Yem est si intrépide c'est grâce à lui et au voyage qu'ils ont fait ensemble jusqu'à Ot. Je comprends maintenant pourquoi la Reine des Fées n'est jamais à quai quand je viens m'asseoir sur le ponton. Cob m'a dit que si je veux voir Yem je dois être sur le quai après minuit.

10

Yem a tenu la promesse qu'il m'avait faite le premier jour que je l'ai rencontré. Il m'a fait monter à bord de la Reine des Fées. Je suis arrivée juste après minuit comme Cob me l'avait dit. C'est la première fois que je monte à bord d'un bateau. On sent à peine qu'on n'est plus sur terre, mais sur l'eau. Yem habite toujours la petite cabine sous le pont. C'est une cabine pour une seule personne avec une couchette étroite et inconfortable. Yem et moi, on s'est assis sur la couchette. Yem a allumé la lampe. Je l'ai vu distinctement alors. Je trouve qu'il a beaucoup changé. Il a les traits marqués pour son âge et il a l'air très fatigué. Il dit que le soir au retour de la pêche il s'endort comme une masse tout habillé sur sa couchette. Il a l'impression d'être mort pendant son sommeil. Chaque nuit, il a l'impression d'être mort. Mais à l'aube quand il lève l'ancre et qu'il quitte le port, il dit que la vie revient.

Yem a ouvert une bouteille de vin mousseux. C'est la première fois que j'en bois. Yem m'a dit de faire un vœu parce que c'est la première fois que je monte sur un bateau et que je bois du vin mousseux. J'ai fait le vœu tout de suite sans réfléchir : longue et heureuse vie à la Reine des Fées. C'est le seul vœu qui m'est venu à l'esprit. J'ai demandé à Yem s'il a fait un vœu lui aussi. Il m'a dit qu'il en a fait un le soir où il a bu du vin mousseux pour la première fois. C'était avec Cob la veille de leur départ pour Ot. Yem ne m'a pas dit quel vœu il a fait. C'est son secret. Il m'a demandé de lui raconter ma vie à Oat. Je lui ai tout raconté sauf ce qui s'est passé avec le chauffeur du camion et avec Pim. Puis Yem m'a parlé de lui. La tête me tourne un peu plus à chaque fois que Yem me reverse de ce vin si bon à boire avec toute sa mousse. J'ai l'impression que la voix de Yem vient de très loin. Yem me redit tout ce que m'a dit Cob. La Reine des Fées ne peut pas couler parce qu'elle est faite autrement que les autres bateaux. Yem me parle aussi du chenal qu'il a découvert sur la côte nord au milieu des récifs. Il n'en a pas parlé à Cob. Il m'a fait promettre de ne pas lui en parler. Il n'en parle qu'à moi. C'est un chenal très étroit que seul un bateau aussi petit que la Reine des Fées peut emprunter. On dirait un chenal fait exprès pour la Reine des Fées. Yem pense qu'aucun marin avant lui ne l'a découvert parce qu'il est invisible tant qu'on n'a pas pénétré dans la zone des récifs, et Yem dit que les marins ne pénètrent pas dans la zone des récifs. J'aime écouter parler Yem. Sa voix me parvient de plus en plus faible. Je me suis endormie en l'écoutant comme lui a dû s'endormir en me parlant. A l'aube, il m'a réveillée. On a dormi ensemble tout habillés sur l'étroite couchette. J'ai demandé à Yem de m'emmener avec lui sur la côte nord au milieu des récifs. Mais il a refusé. Il pêche seul. Alors je suis descendue sur le quai, et je l'ai regardé partir.

Tous les soirs après minuit je suis sur le quai avec Cob, et j'aperçois la Reine des Fées qui rentre au port. Et tous les soirs je dors avec Yem dans la cabine minuscule. Yem revient toujours si épuisé de sa pêche qu'il s'endort dès qu'il s'est allongé sur la couchette. Pour moi, c'est comme s'il était mort. Je voudrais pouvoir le réveiller, mais il a trop besoin de sommeil pour retrouver des forces. Depuis que je dors avec Yem, j'ai le sommeil léger. A l'aube, quand Yem revient à la vie, c'est pour repartir pêcher avec la Reine des Fées.

Yem a voulu qu'on se fiance le jour de mon anniversaire. J'ai quinze ans. Il m'a fait un cadeau de fiançailles. Il a acheté au brocanteur le coffret de bijoux dont je lui ai si souvent parlé. Il n'y a pas pour moi de plus beau cadeau. C'est par attachement pour moi que le brocanteur a accepté de vendre à Yem ce coffret auquel il tenait tant. Et le jour de mes quinze ans qui est aussi le jour de mes fiançailles, j'ai mis tous les bijoux du coffret sauf un. Moi qui n'ai jamais porté de bijoux, j'en suis couverte. Yem m'a dit que je dois les porter toujours parce qu'ils font partie de moi désormais. Je n'ai pas osé lui dire que ce sont de trop beaux bijoux pour moi.

Avec ce qui lui reste d'argent, Yem a acheté un petit terrain le long du boulevard à côté du port de pêche. Il veut y faire construire sa maison. Il dit qu'on ne peut pas toujours dormir à deux aussi à l'étroit dans la couchette de sa cabine. C'est la première fois que Yem pense à dormir dans une maison et pas sur un bateau. Ce sera une maison face à la mer à quelques mètres seulement de la Reine des Fées. Yem a dit qu'on se mariera dès que la maison sera construite. Il m'a demandé de choisir le plan de la maison à condition qu'elle ait de bonnes fondations. J'ai pensé au photographe. Je vais lui donner l'occasion d'exercer son métier d'architecte. Le photographe a emménagé dans la maison du brocanteur. Les deux maçons sont en train de démolir la maison de la rue des Cigognes. J'ai été voir les deux maçons pour leur demander s'ils veulent bien construire notre maison quand ils auront fini de démolir la maison du photographe. Ils ont accepté tout de suite. Le photographe veut bien faire le plan à condition de prendre tout son temps. Il dit qu'il veut faire un plan parfait.

Yem croit qu'il est le plus fort. Chaque soir il revient, son bateau chargé des caisses de gros poissons. Il gagne beaucoup d'argent qu'il partage avec Cob. Ils font parts égales. Yem a avancé une somme d'argent aux maçons pour qu'ils commencent les fondations dès qu'ils auront fini de démolir la maison du photographe. Ils n'en finissent pas de la démolir tellement elle a été construite solide. Le photographe a terminé son plan. C'est exactement le plan de la maison de la rue des Cigognes. Le photographe dit qu'il a essayé d'autres plans, mais c'est le seul qui le satisfasse vraiment. J'ai été porter le plan du photographe aux maçons. Il leur faut le plan pour commencer les fondations.

Yem a demandé à Cob de lui vendre la Reine des Fées. Ça ne lui suffit plus de l'avoir pour lui tout seul, il veut aussi en être le propriétaire. Cob a dit qu'il voulait réfléchir. Mais il va accepter puisqu'il veut prendre sa retraite. Yem revient chaque soir plus épuisé. Il pêche de plus en plus. Il lui faut beaucoup d'argent pour payer le bateau et la maison. Il pêche au-dessus de ses forces.

Oat a été officiellement rattaché à la Municipalité du continent. Le brocanteur a été officiellement nommé représentant du continent à Oat. Il était tout désigné pour occuper cette fonction puisqu'il habite Oat et qu'il a une maison sur le continent. La mairie du port a été fermée. Le brocanteur a ouvert son bureau de représentant du continent sur la place des Gardes nouvellement repeinte au rez-de-chaussée de sa grande maison. Il m'a installé un petit bureau à côté du sien. Je suis toujours employée aux écritures. J'écris toujours des lettres, maintenant ce sont des lettres administratives entre Oat et le continent. Le brocanteur prend très au sérieux sa fonction officielle.

Depuis que sa maison a été démolie, le photographe dit qu'il veut oublier la rue des Cigognes. Le panneau où c'était écrit rue des Cigognes a été enlevé. Il n'y a plus de rue des Cigognes. Le photographe habite une petite chambre au premier étage de la maison du brocanteur. Il ne veut occuper qu'une seule pièce. Il n'a rien emmené avec lui. Sa collection de vieux appareils photographiques a été vendue un bon prix au Musée du continent. Le photographe n'en parle jamais. C'est comme s'il n'avait jamais eu de collection. A la place de la rue des Cigognes au centre du quartier des Charmes, il y a un vide maintenant. J'ai demandé au photographe de nous prendre en photo Yem et moi à l'emplacement de notre future maison. C'est à lui de prendre la photo puisqu'il est l'architecte. Les maçons viennent de commencer les fondations. Le photographe a dit que ce sera sa dernière photo. Yem fait grand sur la photo à côté de moi. Je suis moins grande que je croyais. J'ai dû m'arrêter de grandir à douze ans. Sur la photo, les yeux de Yem et les pierres de mes bijoux sont du même bleu. Au dos de la photo, j'ai écrit : *Yem et Mélie pendant leurs fiançailles devant l'emplacement de leur future maison devant la mer le premier jour des fondations*. J'ai mis ma nouvelle photo dans mon livre de légendes.

Le bureau des Douanes s'est agrandi, il occupe maintenant la partie réservée à l'ancienne mairie. Je conserve mon logement au dernier étage. Mais je n'y suis jamais. Je n'ai rien à y faire. Je ne reconnais plus le tableau de Mélie. Il n'était sûrement pas fait pour être exposé à la lumière du soleil. Toutes les couleurs sont en train de disparaître. C'est à peine si on distingue encore le modèle. Les traits de la jeune fille sont presque effacés. Je passe mes journées dans mon petit bureau de la place des Gardes et mes nuits dans la cabine de la Reine des Fées. Le sommeil de Yem est de plus en plus agité. Yem se demande pourquoi sa pêche n'est plus aussi bonne qu'elle était il y a peu de temps encore. Pourtant il pêche avec autant d'ardeur. Mais il dit qu'il y a moins de poissons sur la côte nord de Oat. Il s'avance dans le chenal dans l'espoir de retrouver les gros poissons. Mais il a l'impression que ce n'est pas poissonneux dans le chenal. Il est nerveux. Il cherche à comprendre ce qui se passe, mais il ne comprend pas. Pourtant il devrait être content. C'est lui maintenant le propriétaire de la Reine des Fées. Cob la lui a vendue au prix où il l'a achetée autrefois. C'est un beau cadeau qu'il a fait à Yem.

Cob vient de trouver ce qu'il va s'acheter avec son argent. Il va se faire construire un bungalow sur la plage aux Mouettes. Il a toujours aimé cette plage. Maintenant qu'il a vendu la Reine des Fées, il veut y finir ses jours. Comme tout à coup il est pressé d'y habiter, il a choisi de se faire construire un bungalow parce qu'il dit que c'est le plus vite construit et que ça ne demande pas de fondations. Cob dit que dans le sable à quoi bon les fondations. Son bungalow est arrivé par pièces détachées du continent dans un grand bateau. Il n'y a qu'à le monter. Chaque jour, Cob va à la plage aux Mouettes surveiller la construction de son bungalow. Il s'est acheté une barque pour aller à la plage aux Mouettes. Mais il dit que la barque c'est trop fatigant, ce n'est plus de son âge. Alors il s'est acheté une auto pour aller et venir de la plage au port. Cob est fier de son auto. C'est une Buick d'occasion toute chromée venue directement elle aussi du continent. Cob ne se lasse pas de contempler sa Buick.

Cob a dû passer son permis pour pouvoir conduire la Buick. Les pêcheurs de Oat n'ont pas le permis parce qu'ils n'ont pas d'auto. Cob m'emmène dans sa Buick. On fait des allers-retours sans s'arrêter de la plage au port et du port à la plage. C'est une Buick décapotable. Cob aime ouvrir et fermer la capote. La Buick a beau être un ancien modèle, elle est quand même perfectionnée. Pour ouvrir et fermer la capote, il suffit d'appuyer sur un bouton. Rouler dans la Buick avec Cob, c'est grisant. J'en oublie les inquiétudes de Yem. Les caisses de poisson ont beau être moins pleines, elles sont quand même encore assez pleines. Je partage le bonheur de Cob.

Le dimanche, je l'attends toute la semaine, encore plus que les après-minuit tous les jours de la semaine. Yem ne va pas à la pêche le dimanche. Le dimanche, il m'emmène faire une promenade en mer. Yem ne veut pas m'emmener sur la côte nord là où il pêche. Il m'emmène sur la côte sud parce que la mer y est toujours calme. Je reste sur le pont à côté de Yem. On va très loin vers le large jusqu'à ce qu'on ne voie plus Oat.

L'après-midi, on va rendre visite à Cob à la plage aux Mouettes. Il nous attend. Il est content de revoir la

Reine des Fées chaque dimanche. Yem jette l'ancre juste en face du bungalow de Cob, et l'on va jusqu'à la plage dans le petit canot de secours en caoutchouc. Yem m'a appris à ramer. Le petit canot, Yem le range toujours sur la plage à côté de la barque de Cob. Cob ne se sert plus de sa barque maintenant qu'il a la Buick. Il a installé de grandes cannes à pêche devant son bungalow et il les surveille depuis sa terrasse du matin au soir. Il dit qu'il prend beaucoup de poissons.

Yem et moi, on marche sur la plage. On se retourne pour regarder la Reine des Fées. Les lettres sont d'un noir brillant sur la coque blanche. Yem a acheté des voiles neuves d'un blanc immaculé. Vue de la plage aux Mouettes, on pourrait croire que la Reine des Fées est un petit bateau de plaisance. Dans la cabine au-dessus de la couchette, j'ai gravé nos deux noms : Yem et Mélie. Yem a dit que j'avais abîmé le bois verni. Le dimanche, c'est comme si la semaine n'existait pas.

J'ai photographié Cob devant son bungalow. Le bungalow fait minuscule sur la photo par rapport à la plage et Cob aussi fait minuscule sur la terrasse où il est assis. C'est parce que j'ai pris la photo de loin pour bien voir la plage avec les bancs de mouettes serrées les unes contre les autres. Le bungalow est bleu comme la mer. Au dos de la photo, j'ai écrit : *le bungalow bleu de Cob l'ancien propriétaire de la Reine des Fées, sur la plage aux Mouettes.*

Yem et moi, on finit l'après-midi dans la Buick. Les clés sont sur le compteur. Ni Yem ni moi on ne sait conduire. On n'a pas envie de rouler, on a seulement envie d'être dans la Buick. On ferme la capote pour être à l'abri. On se couche sur la banquette arrière. Elle est bien plus grande et plus confortable que la couchette de la Reine des Fées. C'est une vraie banquette pour deux. Il fait chaud dans la Buick dès qu'on a mis la capote. Yem et moi, on dirait qu'on fait un voyage immobile. Cob est toujours sur la terrasse en train de surveiller ses cannes à pêche tout en regardant la Reine des Fées. Je lui ai demandé de nous photographier Yem et moi dans la Buick. Cob a mal cadré la photo. On ne voit que l'avant de la Buick en très gros plan. C'est tout ce qu'on voit sur la photo qui s'arrête juste avant le pare-brise. Alors on ne voit pas Yem et Mélie dans la Buick. J'ai dit à Cob que sa photo était réussie pour ne pas le chagriner. Il ne comprend rien au cadrage d'une photo. Au dos de la photo, j'ai écrit : *L'avant de la Buick et Yem et Mélie invisibles sur la banquette arrière.*

11

Le Bastringue affiche complet tous les soirs. Il illumine le port tellement il est éclairé. Il paraît qu'il faut réserver longtemps à l'avance. En passant devant le Bastringue à minuit, j'ai cru apercevoir mademoiselle Marthe sur la terrasse. Il n'y a que par le photographe que je peux savoir si c'est bien mademoiselle Marthe que j'ai cru apercevoir sur la terrasse du Bastringue. Le photographe est de plus en plus silencieux. Les volets de sa chambre sont fermés. Il ne sort plus sur la place des Gardes. J'ai peur qu'il soit malade. Il a mauvaise mine depuis que sa maison est démolie et qu'il dit qu'il a oublié la rue des Cigognes.

Quand je suis entrée dans la chambre du photographe, je l'ai trouvé assis dans son fauteuil, dans le noir. Il n'a pas voulu que j'ouvre les volets. Il a fallu que je lui parle dans le noir. Il a mis du temps à me répondre quand je lui ai demandé si c'est bien mademoiselle Marthe que j'ai cru apercevoir sur la terrasse du Bastringue. Après la fermeture de l'Ile Bleue, mademoiselle Marthe s'est sentie en exil sur le continent. Alors elle aussi a fini par céder au pouvoir d'attraction du Bastringue. Le photographe dit qu'elle a été engagée dans l'emploi le plus subalterne, le plus indigne d'elle. Maintenant elle vit jour et nuit au Bastringue. Le photographe dit aussi que mademoiselle Marthe est malade. Il dit qu'elle est tombée malade quelque temps après son arrivée sur le continent. C'est un mal incurable et sans espoir. Le photographe m'a demandé de ne plus monter le voir dans sa chambre. Il ne veut plus parler de mademoiselle Marthe, et quand il me voit il ne peut pas s'empêcher de parler d'elle. Il veut vivre seul.

Je ne suis pas allée au Bastringue voir mademoiselle Marthe. Je ne sais pas comment elle m'aurait accueillie. Je ne crois pas qu'elle ait envie de me revoir. Et puis je dois tenir ma promesse. J'ai promis de ne jamais retourner au Bastringue. J'ai oublié le chauffeur du camion, mais pas ma promesse. Yem ne comprendrait pas s'il apprenait que j'aie été au Bastringue. Je n'ai jamais parlé à Yem de mademoiselle Marthe.

L'inondation est finie. Mais le terrain vague reste recouvert d'eau presque entièrement, sauf à l'endroit du chemin. Le quartier de la lagune est devenu une désolation. Les maisons ont été très gravement endommagées, elles sont menacées de ruine. Les pêcheurs ne pourront pas réhabiter leurs anciennes maisons. Ils vont continuer d'habiter le quartier des Charmes. Le quartier des Charmes n'est plus le quartier des Charmes. On ne reconnaît plus la rue des Bornes. C'est comme si c'était après le déluge. La maison de la rue des Bornes a été emportée par la violence des crues. Sa façade avait beau être en pierres, elle était moins solide qu'il n'y paraissait. Il n'y a plus de maison dans la rue des Bornes. Ce n'est même plus une rue. Le marié a dû rejoindre la mariée quelque part au fond de la lagune. Le grand bateau rouillé a fini par être complètement englouti. La lagune fait vide. Je ne sais pas pourquoi je retourne dans ce quartier désolé. C'est peut-être à cause de la montagne de l'Ermitage que j'aperçois au loin quand les nuages se lèvent. J'essaie de me rappeler la maison des cascades. J'ai l'impression que tout s'efface. Yem dit que je ne devrais pas aller au bord de la lagune. Mais lui, il va bien dans le chenal avec la Reine des Fées.

Chaque jour, je passe voir les maçons qui creusent les fondations de notre future maison. Ils creusent profond selon la volonté de Yem et le plan du photographe. Ce sera une maison de pierres comme l'ancienne maison de la rue des Cigognes. J'ai hâte que les maçons aient fini de creuser pour qu'ils commencent à construire la maison. Je suis de plus en plus inquiète pour Yem. Certains soirs, la Reine des Fées ne rentre plus au port. Yem s'est engagé trop loin dans le chenal et il n'a pas eu le temps de rentrer. Je n'aime pas le savoir si loin du port dans la nuit. Le poisson continue de disparaître. J'attends Yem tous les soirs après minuit sans savoir s'il rentrera ou non. Maintenant que Cob habite la plage aux Mouettes, c'est moi qui vais vendre le poisson au marché. A chaque fois, la somme qu'on me donne en échange de la pêche de Yem est plus petite. Quand Yem rentre au port, il est si sombre que c'est à peine s'il remarque que je suis sur le ponton à l'attendre. Il ne cesse de se demander pourquoi il n'y a pas de poisson dans le chenal. Je lui ai demandé pourquoi il ne va pas pêcher là où vont pêcher tous les pêcheurs de Oat. Yem m'a répondu qu'il n'ira jamais pêcher avec les pêcheurs de Oat parce que la Reine des Fées n'est pas un bateau de pêche comme les autres. Yem est loin. La nuit, il ne dort presque plus. Il se tourne et se retourne dans sa couchette.

Les maçons ont enfin fini de creuser les fondations. Ils ont demandé à Yem une nouvelle avance pour commencer le gros œuvre. Mais Yem n'a plus d'avance à leur donner maintenant qu'il ne gagne presque plus rien. Alors les maçons ont dit qu'ils ne travaillent pas sans avance, et ils ont décidé de suspendre les travaux. Je ne sais plus quand je verrai notre maison sortir de terre. Je ne me sens pas chez moi dans le logement de l'ancienne mairie depuis que tout le bâtiment appartient au bureau des Douanes. Le brocanteur m'a donné une chambre avec un balcon dans sa maison de la place des Gardes. Il a pensé que je serai bien dans cette chambre qui a une vue panoramique sur toute la place. C'est une chambre voisine de celle du photographe. Le brocanteur a deviné mes inquiétudes et ma déception, même si je ne lui dis rien. J'ai emmené toutes mes affaires dans ma nouvelle chambre. Je continue de dormir avec Yem quand la Reine des Fées rentre au port, mais je n'ai pas installé mes affaires dans la cabine. Il n'y a pas de place, et Yem ne me l'a jamais demandé. Sur le mur de ma nouvelle chambre en face du balcon, j'ai accroché le grand tableau de Mélie. Le tableau n'a pas supporté la lumière de mon ancien logement. Toutes les couleurs et même le modèle ont disparu. On ne peut plus savoir que le tableau de Mélie a été la copie d'un tableau du Musée du continent. On ne voit plus rien quand on regarde le tableau. Je l'ai photographié tel qu'il est maintenant. On voit une grande tache blanche sur la photo. Au dos de la photo, j'ai écrit : *Le grand tableau blanc de Mélie.*

Je n'oublierai jamais ce dimanche. Yem et moi, on a fait la promenade en mer, et puis on est allés voir Cob à la plage aux Mouettes comme tous les dimanches. Yem a emmené une bouteille de vin mousseux pour boire dans la Buick. Il est heureux comme s'il venait de ramener sa meilleure pêche. Pourtant hier il est rentré au port avant minuit avec toutes ses caisses vides, et il m'a annoncé qu'il renonce à la pêche. Il n'a pas l'air accablé par son renoncement, au contraire il a l'air délivré. Yem ne m'a pas dit ce qu'il va faire maintenant qu'il a renoncé à la pêche. On a bu toute la bouteille de vin mousseux. La tête nous tourne de plus en plus. C'est comme s'il n'y avait plus de Reine des Fées. La Buick aussi se met à tourner. Et dans la Buick qui tourne de plus en plus vite, Yem m'a demandé de l'épouser. Je croyais qu'il voulait se marier seulement quand la maison serait construite. Mais il dit qu'il a changé d'avis.

Il veut qu'on se marie maintenant. Il dit qu'on a été fiancés assez longtemps. Alors, le vin mousseux, c'est pour fêter sa demande en mariage. Il m'a demandé pardon de ne plus avoir d'argent pour m'acheter un cadeau de mariage. Je lui ai dit que le coffret de bijoux, c'est un cadeau de fiançailles et de mariage.

Cob a été ému quand Yem lui a annoncé qu'on allait se marier. Depuis quelque temps, il ne va plus au port. Mais, pour notre mariage, il dit qu'il y retournera. Il veut être notre premier témoin. Il a fait tourner le moteur de la Buick pour vérifier qu'elle est toujours en état de marche. Il n'a plus envie de conduire parce qu'il n'a plus envie de bouger de la terrasse de son bungalow où il est si bien. Alors il oublie d'entretenir la Buick. Il y a du sable qui s'infiltre dans le capot. Cob n'y connaît rien en mécanique. La plage aux Mouettes a beau être abritée, quand le vent souffle, il soulève le sable et le sable s'infiltre dans le capot de la Buick. Le sable, c'est mauvais pour le moteur. Le chromes commencent à être piqués par la rouille. Cob trouve que la Buick est bien comme elle est. Il dit qu'il n'a pas à s'inquiéter puisque le moteur tourne.

Le brocanteur nous a mariés deux jours plus tard. C'est son premier mariage depuis qu'il est le représentant officiel du continent à Oat. Il a pris la cérémonie du mariage très au sérieux. Il a tout fait pour que le photographe y assiste. Le photographe a fini par céder, lui qui pourtant a fait vœu de ne plus sortir de sa chambre. Il a été notre deuxième témoin, avec Cob. Je sais qu'en assistant à mon mariage le photographe a pensé à mademoiselle Marthe qui ne s'est jamais mariée, il a pensé aussi à la vie qu'elle mène maintenant jour et nuit au Bastringue. Moi aussi, un moment, j'ai pensé à mademoiselle Marthe. Mais je l'ai vite oubliée. C'est le jour de mon mariage. Le brocanteur nous a mariés sur le pont de la Reine des Fées ainsi que Yem le voulait. Dans mon coffret, il reste un bijou que je n'ai pas encore porté. C'est un très vieil anneau. Ce sera mon cadeau de mariage. Yem me l'a mis au doigt. Il est juste à la taille de mon doigt. Je ne l'enlèverai jamais. Il n'y a pas d'anneau pour Yem.

Yem a voulu me photographier dans ma robe de mariée sur le pont de la Reine des Fées. C'est la dernière photo qui reste à faire dans le polaroïd. J'ai préféré que Yem me photographie devant notre future maison. Il y a un grand trou creusé dans la terre maintenant que les fondations sont terminées. Ma robe de mariée est le cadeau de mariage du brocanteur. C'est une robe en satin et en dentelle avec une longue traîne. C'est une robe ancienne qui n'a jamais été portée. Le brocanteur l'avait gardée pour l'offrir à sa fiancée le jour de son mariage, mais il ne s'est jamais fiancé. C'est la première fois que je porte une robe longue avec une traîne. Le brocanteur dit qu'une robe de mariée ne se porte que vingt-quatre heures. Il a voulu offrir à Yem un costume de marié, mais le costume n'était pas à sa taille. Alors Yem s'est marié dans son costume du dimanche, un costume de marin avec des boutons dorés. Yem se sert du polaroïd pour la première fois. Il a très bien calculé son cadrage pour qu'on voie les fondations de notre future maison et aussi la Reine des Fées en arrière-plan. Il m'a prise en premier plan. Je suis un peu floue sur la photo à cause du voile de tulle qui me cache le visage et que le vent soulève. Au dos de la photo que m'a donnée Yem, j'ai écrit : *Mélie photographiée par Yem le jour de leur mariage devant les fondations achevées de leur future maison avec en arrière-plan la Reine des Fées.* Je regrette que Yem ne soit pas à côté de moi sur la photo. Mais il a dit que c'était à lui de prendre la dernière photo. Alors il ne pouvait pas à la fois être sur la photo et prendre la photo. Le photographe n'était plus là quand Yem m'a photographiée.

Ma nuit de noces, je l'ai passée dans la cabine de la Reine des Fées avec Yem. On n'a pas dormi de la nuit. J'ai gardé ma robe de mariée toute la nuit. C'est Yem qui a voulu que je la garde. Je l'aurai portée vingt-quatre heures, juste le temps que le brocanteur a dit qu'il fallait la porter. Yem a parlé toute la nuit. Il m'a annoncé qu'il va partir avec la Reine des Fées pour un très long voyage. Il n'a jamais oublié le voyage qu'il a fait avec Cob jusqu'à Ot. Ot, il dit que ça n'a rien à voir avec Oat. Yem veut explorer le chenal, le suivre jusqu'au bout. Il veut savoir où conduit le chenal. Il dit que la Reine des Fées est le bateau fait pour le chenal et qu'il ne veut pas manquer la chance qui lui est offerte. Il dit qu'il l'a compris peu à peu quand le poisson a commencé à disparaître. Il ne regrette plus la pêche. Yem a attendu notre nuit de noces pour m'annoncer qu'il va partir. Je lui ai demandé de l'accompagner. Il m'a dit qu'il n'y a pas de place pour deux dans la Reine des Fées pour un aussi long voyage. Il m'a dit qu'il reviendrait et que je dois l'attendre. Toute la nuit, il m'a parlé du voyage qu'il va faire en suivant le chenal.

A l'aube, comme les autres matins, je suis descendue sur le quai, et j'ai regardé la Reine des Fées quitter le port. A un moment, Yem ne m'a plus regardée, il a regardé vers le large en direction du chenal. Mais moi, j'ai continué à me tenir droite sur le quai dans ma robe de mariée pour essayer de l'apercevoir encore. Je suis restée longtemps à regarder la mer, longtemps après que la Reine des Fées a disparu à l'horizon. Et puis d'un seul coup tout s'est arrêté. J'ai eu l'impression que même la mer ne bougeait plus.

J'étais encore sur le quai quand les pêcheurs sont arrivés. Ils m'ont demandé ce que je faisais là toute seule dans ma robe de mariée. Alors je leur ai dit le départ de Yem et le chenal qu'il veut suivre jusqu'au bout. Les pêcheurs ont hoché la tête. Ils disent que le chenal n'existe que dans les légendes. Ils pensent que j'ai eu tort de me marier avec Yem. Mais moi, je ne pense pas comme eux. J'ai eu raison de me marier avec Yem quoi qu'en pensent les pêcheurs qui n'ont rien compris à la Reine des Fées.

J'ai du retard dans mes règles. J'ai toujours été parfaitement réglée depuis mon départ de l'Ermitage. Et voilà que pour la première fois j'ai du retard dans mes règles. J'ai relu la brochure qu'on m'avait remise au dispensaire. C'est écrit que lorsqu'on a un retard dans ses règles il faut aller tout de suite consulter au dispensaire. Au dispensaire, on m'a examinée, on m'a fait des analyses. A la fin, on m'a annoncé que ce n'est pas un simple retard dans mes règles, mais un véritable arrêt. Ça veut dire que je suis enceinte. On m'a donné une nouvelle brochure où tout est expliqué sur ce qui se passe pendant les neuf mois de la grossesse. Neuf mois, c'est long. Je lis et je relis la brochure. Je veux tout comprendre. C'est la première fois que je suis enceinte. C'est bien plus important que la première fois où j'ai eu mes règles.

Chaque jour, je passe devant l'emplacement de notre future maison. Pour l'instant, ce n'est qu'un chantier fermé avec un grand trou au milieu. J'ai mis un panneau devant les fondations : Propriété privée. Et j'ai écrit le nom des propriétaires sur le panneau : Yem et Mélie. J'aime bien passer devant le panneau où nos noms sont écrits à côté de propriété privée. Yem et moi, on s'est mariés sous le régime de la communauté. Le brocanteur nous a bien expliqué ce que ça signifie. Tout ce que je possède appartient à Yem, et tout ce que Yem possède m'appartient.

Tous les dimanches, je vais à la plage aux Mouettes. J'y vais à pied. Il y a deux bonnes heures de marche à condition de marcher vite. Je prends plaisir à marcher vite sur le chemin qui longe la mer. Mon corps a besoin d'exercice. La marche me fait du bien. Je respire à pleins poumons. Cob n'a pas été intéressé quand je lui ai annoncé que je suis enceinte. Pourtant c'est une grande nouvelle. Mais Cob ne pense plus qu'à la Reine des Fées et à Yem. Il a bien fallu que je lui apprenne l'existence du chenal pour lui expliquer les raisons du départ de Yem. Il est absorbé dans ses pensées depuis que je lui ai parlé du chenal. Il dit qu'il aurait voulu être Yem et pas Cob. Il n'aime plus la plage aux Mouettes ni son bungalow bleu. Il dit que seul Yem a compris ce qu'il fallait faire avec la Reine des Fées. C'est le bateau fait pour le chenal. Ce n'était pas un bateau fait pour aller à Ot ni pour pêcher au milieu des récifs. Cob était heureux et il ne l'est plus. Il rêve devant ses cannes à pêche. Il oublie de mettre les hameçons. Il ne me demande même pas comment je vais.

Je passe mon dimanche dans la Buick. C'est pour la Buick que je vais à la plage aux Mouettes et plus pour Cob qui fait comme si je n'existais pas. Il se moque bien de la Buick maintenant. Il la laisse se rouiller et s'ensabler de partout. Les pneus sont dégonflés. J'ai essayé de remettre le moteur en marche. Le moteur est en panne. La Buick ne marche plus. Les mouettes adorent la Buick. Elles s'en servent comme d'un perchoir. Elles se serrent sur l'avant et sur les ailes. Si je ne fermais pas la capote, elles envahiraient l'intérieur. Quand je suis dans la Buick, les mouettes sont là tout contre le pare-brise à me regarder. Je me couche sur la banquette arrière. Après la marche, j'ai besoin de me coucher. Je reste des heures sur la banquette à regarder le ciel et les mouettes. J'ai des bourdonnements dans la tête et dans les oreilles.

Je ne reverrai plus jamais mademoiselle Marthe. Elle a été retrouvée morte dans les toilettes du Bastringue. C'est le brocanteur qui m'a appris la triste nouvelle. Ainsi jusqu'à la fin mademoiselle Marthe a fréquenté les toilettes. Le brocanteur ne sait pas comment elle est morte. Il a organisé une cérémonie funéraire en hommage à ce que fut autrefois mademoiselle Marthe et au rôle qu'elle a joué à la mairie du port. Il paraît qu'il y avait beaucoup de monde sur la terrasse du Bastringue au moment de la cérémonie funéraire. Le brocanteur ne m'a appris la mort de mademoiselle Marthe qu'après la cérémonie pour ne pas me bouleverser. Il dit que dans mon état il ne me faut pas d'émotion violente. Il sait mon lien avec mademoiselle Marthe. Je pense souvent maintenant à la triste fin de mademoiselle Marthe. Je ne connais pas les circonstances de cette fin, mais dans les toilettes du Bastringue ça n'a pu être qu'une triste fin. Le brocanteur dit que ça a été une mort honteuse. Mais mademoiselle Marthe a été réhabilitée grâce à la cérémonie funéraire qui a rendu hommage à son passé de maire. Le brocanteur ne peut pas vraiment comprendre mademoiselle Marthe malgré sa volonté de comprendre.

Je n'ai pas revu le photographe depuis le jour de mon mariage. Il n'a pas été à la cérémonie funéraire. Les volets de sa chambre sont toujours clos. Le photographe ne sort plus jamais. J'ai beau habiter la chambre voisine de la sienne, je n'entends aucun bruit. Le brocanteur dit que depuis la mort de mademoiselle Marthe le photographe se laisse aller. Rien ne peut le consoler parce qu'il est inconsolable. Il vit seul dans sa chambre noire.

Le brocanteur va et vient entre Oat et le continent. Il a deux vies et deux maisons. Il n'a plus rien à acheter à Oat, mais il gère au mieux la petite fortune qu'il s'est acquise en faisant son métier de brocanteur. Grâce à lui, la place des Gardes fait toute neuve. Plus rien de Oat ne ressemble à Oat maintenant. Le quartier de la lagune est inhabitable pour toujours. Le quartier des Charmes est devenu le quartier des pêcheurs. La rue des Cigognes a disparu. Et la place des Gardes ne ressemble plus à l'ancienne place des Gardes. La maison du brocanteur sur le continent est devenue officiellement musée de Oat, ainsi qu'il en avait eu le projet. Le musée a du succès. Oat est connu des habitants du continent grâce au musée du brocanteur. Tout ce qu'il y avait de valeur autrefois dans les maisons du quartier des Charmes est désormais exposé sur le continent dans le musée du brocanteur.

Parfois des marins en escale à Oat parlent aux pêcheurs de la Reine des Fées. Ils l'ont aperçue très loin de Oat, jamais dans la même direction. Il ne faut pas écouter ce que racontent les marins en escale. Yem continue sa route sur le chenal. Il a dit qu'il irait jusqu'au bout. Si le chenal existe dans les légendes, c'est bien la preuve qu'il existe. Les pêcheurs n'ont rien compris aux légendes. C'est Rose qui m'a appris à les comprendre. Elle les comprenait mieux que personne. Ce n'est pas pour rien qu'elle m'a appris à lire dans son livre de légendes, et puis qu'après elle me l'a donné. C'est son seul cadeau. Le vœu que Yem avait fait la première fois qu'il a bu du vin mousseux avec Cob et qu'il n'a jamais voulu me dire parce que c'était son secret, c'était sûrement de faire ce long voyage seul avec la Reine des Fées, et de découvrir ce chenal dont il rêvait avant de l'avoir découvert. Son vœu a été exaucé. J'espère que mon vœu à moi aussi sera exaucé. Ce sont des vœux complémentaires. Yem avait fait son vœu avant de se fiancer. Un vœu, c'est sacré.

Dans ma chambre de la place des Gardes, j'ai fini par retourner le tableau de Mélie. A quoi bon le garder à l'endroit puisqu'il n'y a plus rien à y voir. Mélie aussi l'avait retourné, il lui suffisait que son tableau soit accroché à l'envers sur le mur de son salon. J'aime bien ma chambre au soleil couchant. Le soleil entre dans la chambre. La lumière est toute rose à cause des façades repeintes par le brocanteur et à cause de la lumière du soleil couchant aussi. On dirait que j'habite une chambre rose juste avant que la nuit tombe. Le photographe s'est enfermé pour toujours dans sa chambre noire. C'est sans espoir pour lui maintenant.

Je vais chaque mois à la visite médicale au dispensaire. Ma silhouette change. J'ai le ventre de plus en plus rond. Je fais tout comme on me dit de faire au dispensaire. Je prends des gélules vitaminées. Chaque après-midi, je fais la sieste. Je rêve de Yem et de la Reine des Fées.

Dimanche, Cob était dans un état de grande excitation quand je suis arrivée. Au large de la plage aux Mouettes, juste en face de son bungalow, il y a un superbe yacht tout blanc, le plus grand yacht que j'ai encore jamais vu. Son nom est écrit en lettres bleues : la Reine des Fées. Cob a enlevé les cannes à pêche de la plage parce que depuis sa terrasse les cannes lui barraient la Reine des Fées. Il est complètement transporté de voir ce grand yacht juste en face de son bungalow. Il dit qu'il l'attend depuis toujours, c'est la Reine des Fées. Il a oublié Yem. J'ai passé mon dimanche couchée dans la Buick, les yeux fermés. Il y a une fête à bord du yacht. J'entends la musique jusque dans la Buick. Je suis comme bercée par la musique qui vient du yacht. J'ai somnolé longtemps dans la Buick les yeux fermés.

Le dimanche suivant, le bungalow de Cob était fermé. J'ai cherché Cob partout. Il n'y a aucune trace de Cob ni sur la plage ni aux alentours. Il a disparu sans me laisser un mot d'adieu ni une explication. Il m'a seulement laissé la Buick à moitié ensablée. Le yacht n'est plus amarré au large de la plage aux Mouettes. Et la barque de Cob n'est plus sur la plage.

12

A la visite médicale, on m'a dit que c'est pour bientôt. La prochaine fois que je viendrai au dispensaire, ce sera pour accoucher. On m'a montré ma chambre. C'est une chambre blanche face à la mer. Tout est déjà prêt. Il y a un berceau à côté du lit. On m'a donné une nouvelle brochure pour me préparer à l'accouchement. J'ai toujours été bien traitée au dispensaire. On m'a dit que j'ai une bonne grossesse et que tout se présente bien. Le brocanteur m'a donné un congé spécial de maternité. Je ne travaille plus au bureau. Je suis libre de mes journées. Je me repose beaucoup. Je retourne quelquefois au bord de la lagune maintenant que ce n'est plus inondé. Je ne peux pas m'empêcher d'y retourner. Je regarde de loin la montagne de l'Ermitage. Elle paraît proche vue de loin.

L'idée m'est venue en revenant à la place des Gardes après avoir été au bord de la lagune. Je n'irai pas accoucher au dispensaire dans la chambre blanche qu'on a préparée pour moi. J'irai accoucher à l'Ermitage. Je ne l'ai pas dit au brocanteur. Il m'en aurait empêchée. Il est le représentant du continent à Oat et il veille à faire respecter les règlements. Le règlement veut que j'aille accoucher au dispensaire. Je suis partie de nuit sans faire de bruit pour ne pas réveiller le brocanteur. Je ne lui ai pas laissé de mot pour qu'il croie que je suis allée me reposer dans le bungalow de la plage aux Mouettes. J'ai mis mes affaires dans mon sac et j'ai emporté beaucoup plus de provisions que pour mon premier voyage où je n'avais pas été assez prévoyante. Mais j'étais sans expérience alors. Avec toutes mes provisions, je ne risque pas de mourir de faim. J'ai bien fait d'aller tous les dimanches à pied jusqu'à la plage aux Mouettes. Je me suis entraînée à la marche et je suis en bonne forme physique malgré mon état. Pour aller à l'Ermitage, j'ai décidé de faire de petites étapes. Je ne veux pas arriver à bout de forces aux cascades.

Je ne peux pas dire ce que j'ai ressenti quand je suis sortie de Oat et que je me suis dirigée vers l'Ermitage. J'aurais déjà voulu être arrivée et entendre de nouveau le bruit des cascades. Chaque soir, j'ai dormi dans une cabane de bûcheron. Le bois des cabanes résiste au temps, ce n'est pas comme le bois des maisons de Oat. J'ai dormi d'un sommeil sans rêve. Marcher me fait du bien. La piste a beaucoup rétréci. Ce n'est plus une piste. C'est devenu un chemin jusqu'à l'ancienne scierie du chauffeur du camion. La forêt gagne. Après la scierie, le chemin devient un sentier. Le sentier est bien tracé, comme s'il était entretenu. Il y a des traces de pas. C'est donc la preuve qu'il y a encore des voyageurs qui montent aux cascades. Mon cœur s'est mis à battre très fort en approchant de l'Ermitage et en entendant de loin le bruit des cascades. Alors je me suis écartée du sentier pour rejoindre la rivière. Je veux arriver à l'Ermitage par la rivière comme autrefois. J'ai reconnu tous les rochers, toutes les vasques. Rien n'a changé. L'Ermitage n'a pas changé. Tout est en ordre. J'ai retrouvé mon ancienne chambre. J'ai dormi très longtemps dans mon lit d'un sommeil si profond que j'en avais perdu le souvenir.

Au réveil, j'ai tout de suite sorti l'enseigne de mon sac et je l'ai reclouée au-dessus de la porte d'entrée à la même hauteur qu'autrefois, grâce à l'échelle qui est toujours là aussi rangée à la même place. De nouveau, au-dessus de la porte d'entrée de l'Ermitage, en lettres de l'ancien alphabet, c'est écrit : Magasin de Souvenirs. Il fallait que l'Ermitage retrouve son enseigne même si ce n'est plus un magasin de souvenirs. J'ai relu une dernière fois ce qui est expliqué dans la brochure. Tout est bien expliqué. Je n'ai pas peur. C'est bien ici que je devais venir accoucher. Le voyage a été long, mais il n'a pas été au-dessus de mes forces. La marche a dû bien me préparer à l'accouchement. Plus je montais le sentier, plus je sentais bouger dans mon ventre.

Le dernier jour, je l'ai passé à me reposer devant les cascades. J'ai revu l'arc-en-ciel dans la buée des cascades. Les rochers de quartz noir renvoient toujours la même lumière si forte dont parlait Rose. C'est une lumière aveuglante qui me fait mal aux yeux maintenant que je n'en ai plus l'habitude. J'ai fermé les yeux pour mieux écouter le bruit des cascades. J'ai eu tout à coup l'impression que le bruit montait du fond de mon ventre. Alors j'ai compris que c'est pour très bientôt.

Quand j'ai senti les premières douleurs, j'ai rangé mes affaires dans mon sac et je suis montée jusqu'à la grotte. C'est dans la grotte que je veux accoucher. Les douleurs ont duré toute la nuit et tout le matin. A midi, quand le soleil est arrivé au zénith et qu'il est entré dans la grotte, j'ai été délivrée. J'ai tout fait sans m'affoler comme c'est expliqué dans la brochure. J'ai fait tous les gestes dans l'ordre, jusqu'au cordon que j'ai coupé moi-même. Toute seule dans la grotte, j'y suis arrivée.

C'est une petite fille. Je l'ai appelée Rose. Dès que je l'ai vue, je l'ai appelée Rose. Je l'ai baignée là où la rivière sort de terre. L'eau de la rivière est tiède quand elle sort de la montagne. Rose ne risque pas d'attraper froid. Elle a l'air robuste et bien bâtie. Son premier bain, j'ai voulu qu'elle le prenne à la source de la rivière comme un baptême. Puis je l'ai emmaillotée dans mon voile de mariée. Je l'ai emmené exprès pour Rose. Rose est belle emmaillotée dans mon voile de mariée. Elle a les mêmes yeux bleus que Yem. Je lui ai fait un petit lit de sable et de mousse, et je l'ai couchée dans la pénombre de la grotte avec le châle de Mélie comme couverture. J'ai emmené tout ce qu'il fallait pour Rose. Depuis que je l'ai baignée, elle dort. Je l'ai regardée longtemps dormir, et puis je me suis endormie moi aussi tellement je suis fatiguée et à bout de forces. Il fait une douce chaleur dans la grotte.

Quand je me suis réveillée, j'ai pris Rose dans mes bras. Je l'ai bercée longtemps en lui chantant la chanson que Rose me chantait quand j'étais petite. Rose s'est réveillée et elle a crié. Alors je lui ai donné le sein. Mais Rose a continué de crier malgré le sein. Je n'ai pas de lait. Pourquoi est-ce que je n'ai pas de lait ? Je lui ai préparé le biberon en suivant exactement le mode d'emploi indiqué dans la brochure. Rose a bu tout le biberon. Puis elle s'est rendormie tout contre moi et moi aussi je me suis rendormie tout contre elle.

J'ai encore passé deux jours avec Rose dans la grotte. Je me sens plus faible de jour en jour. J'ai des bourdonnements de plus en plus forts dans les oreilles. Je regarde Rose dormir. Je la berce en lui chantant la chanson de Rose. Je la baigne à la source tiède de la rivière. Je lui donne ses biberons. Rose est à l'abri dans la grotte. Il ne peut rien lui arriver de mal.

A l'aube du troisième matin, j'ai quitté la grotte. Je redescends seule sans aucun bagage. J'ai donné à Rose son dernier biberon. J'ai écrit son nom sur le livre de légendes. Je l'ai écrit sur la couverture du livre : POUR ROSE. Je l'ai écrit deux fois, en alphabet ancien et en alphabet nouveau. Mon livre de légendes avec mes douze photos à l'intérieur, c'est mon cadeau pour Rose. Je l'ai déposé bien visible à ses pieds. Je lui laisse aussi mon sac. Dedans, il y a mon polaroïd vide et il y a mon coffret. Avant d'accoucher, j'ai enlevé tous mes bijoux et je les ai remis dans le coffret. C'est mon deuxième cadeau pour Rose. C'est un cadeau de Yem aussi puisque c'est Yem qui m'a offert le coffret de bijoux. Je n'ai gardé que l'anneau à mon doigt, mon anneau de mariage avec Yem. Dans le livre de légendes, il y a aussi ma carte d'identité. Le brocanteur n'a pas oublié d'y rajouter la date de mon mariage avec Yem.

J'ai mis quelques provisions dans mes poches, mais je ne peux rien avaler. Heureusement que le sentier descend, je n'ai qu'à me laisser descendre. Je ne sens plus mes jambes, je ne sens même plus mon corps. Je marche comme dans un rêve. Je ne reconnais plus le sentier ni la forêt. Le soir, je n'ai pas la force de chercher une cabane, alors je dors au bord du sentier. La nuit, je grelotte de froid au bord du sentier. Je me suis aperçue tout de suite en descendant que ma culotte est tachée de sang. Je perds du sang. Ce n'est pas le sang de mes règles. Les règles ne reviennent pas si vite après l'accouchement. Ce doit être une de ces complications qui est expliquée dans la brochure. La marche, c'est mauvais pour l'hémorragie. Le sang coule goutte à goutte sans s'arrêter. Ça doit se déchirer quelque part à l'intérieur. Il y a des gouttes de sang derrière moi sur le sentier. J'ai beau me sentir de plus en plus faible, je continue de descendre. Je pense à Rose et à la Reine des Fées.

Je suis arrivée au croisement. A gauche, c'est la piste qui mène à Oat, à droite c'est le chemin qui mène à la plage aux Mouettes. J'ai pris le chemin de la plage aux

Mouettes. Je me suis retournée une dernière fois pour regarder le chemin qui monte à l'Ermitage. C'est alors que j'ai aperçu un couple de voyageurs qui s'engageaient sur le chemin. Demain, ce soir peut-être s'ils marchent vite, ils arriveront aux cascades, ils monteront jusqu'à la grotte. Ils découvriront Rose. Peut-être qu'ils décideront de s'installer à l'Ermitage et de rouvrir le magasin de souvenirs maintenant qu'il y a de nouveau l'enseigne ?

Quand je suis arrivée à la plage aux Mouettes, j'ai tout de suite été dans la Buick. Dès que je me suis couchée sur la banquette arrière, j'ai perdu connaissance. Je ne sais pas combien de temps s'est passé avant que je revienne à moi. La banquette de la Buick est tachée de sang. Le sang continue de couler. C'est mauvais de perdre tout ce sang. Dans quel état est la Buick. Elle est toute rouillée et maintenant la banquette arrière est tachée de sang. Les mouettes ont fini par déchirer la capote avec leur bec. Elles ont envahi la Buick. Il y en a partout sur les fauteuils avant, il y en a plein serrées contre moi sur la banquette arrière, il y en a sur le capot qui me regardent à travers le pare-brise, qui regardent le sang. Les mouettes me tiendraient chaud si je n'avais pas si froid. Je tremble de froid.

Je me suis redressée un peu pour regarder la plage. La vitre est sale, la mer paraît sale à travers la vitre. Je vois un grand yacht blanc amarré juste en face de la Buick. Je n'ai jamais vu un yacht aussi grand. Je ne vois rien écrit sur le yacht. La coque est d'un blanc immaculé sans aucune lettre peinte. Je n'ai aucun moyen de savoir le nom du yacht. Je continue de perdre mon sang. J'ai un voile devant les yeux. Le yacht devient de plus en plus flou. J'appelle Yem comme autrefois dans la Buick. Mais aujourd'hui ce n'est pas dimanche. Dimanche, ce sera mon anniversaire, j'aurai seize ans. Yem, où est-ce qu'il est avec la Reine des Fées ? Est-ce qu'il est arrivé au bout du chenal ? J'aurais tant aimé lui parler de Rose.

Le vent s'est levé. Le yacht s'éloigne de la plage aux Mouettes. Je l'ai vu longtemps disparaître peu à peu vers le large. Le vent soulève le sable de la plage. Il n'y a aucune trace sur la plage à cause du vent qui balaie toutes les traces. Les mouettes se sont envolées toutes ensemble d'un seul coup d'aile. Elles ont abandonné la Buick.

La mer est vide comme la plage aux Mouettes. Je suis seule dans la Buick, toute seule maintenant que les mouettes se sont envolées très haut vers le ciel, très loin. Le sable recouvre le pare-brise, les vitres et la lunette arrière d'une fine pellicule. Je ne vois plus la plage, ni la mer, ni le ciel, ni les mouettes. Le voile devant mes yeux est de plus en plus épais. Je ne vois même plus le sang sur la banquette. Je ne vois plus rien, plus rien que Rose emmaillotée dans mon voile de mariée dans la grotte aux Fées.

CET OUVRAGE A ÉTÉ ACHEVÉ D'IMPRIMER
LE DOUZE MARS DEUX MILLE UN
DANS LES ATELIERS DE NORMANDIE ROTO
IMPRESSION S.A. À LONRAI (61250)
N° D'ÉDITEUR : 3555
N° D'IMPRIMEUR : 010438

Dépôt légal : avril 2001

role of age: adolescence, coming of age, ageing and death.

identity: role of names, memory, classification

sexuality: innocence, males as predator, penetration.

childhood & being an adult

narrative point of view: the present.

education & stupidity

landscape, decadence & exhaustion, language.

isolation

the book of legends & the 2 alphabets.

the addresses of the 'continent': l'Île bleue, the chauffeur'

pictures & mirrors & photographs.

effacement, flooding, fading.

doubling, copies, bad copies.

circularity

new & old.